M000191019

LA VIE QUI M'ATTENDAIT

Julien Sandrel est né en 1980 dans le sud de la France, et vit à Paris. Son premier roman, *La Chambre des merveilles*, a connu un succès phénoménal en librairie, et obtenu plusieurs prix littéraires, dont le prix Méditerranée des lycéens 2019. Vendu dans plus de 25 pays, il est en cours d'adaptation au cinéma.

Paru au Livre de Poche :

LA CHAMBRE DES MERVEILLES

JULIEN SANDREL

La vie qui m'attendait

ROMAN

CALMANN-LÉVY

© Calmann-Lévy, 2019.
ISBN : 978-2-253-24098-3 – 1re publication LGF

À mes parents.
À mes frères.

« *Je voulais parler de la mort,*
mais la vie a fait irruption, comme d'habitude. »

Virginia WOOLF

Est-il possible que toute mon existence se résume à cette seule journée ?

Ce jour-là fut le plus beau, le plus terrible, le plus définitif. Fondateur et destructeur. Mettant sur mon chemin, dans un même élan intolérable, le souffle incandescent de la vie et son exact opposé.

Ce jour-là, je l'ai vécu. Je ne l'ai jamais raconté. À quiconque.

Les souvenirs sont présents, pourtant. Âcres. Brutaux. Mais les plaies sont refermées. Recousues. Il a fallu du temps pour que la beauté me soit de nouveau accessible. Qu'elle se désolidarise enfin de ces images insoutenables que je n'ai cessé de voir apparaître à chaque battement de paupières.

Aujourd'hui encore, mon cœur – que peut-il faire d'autre ? – continue de marteler que j'ai fait ce qu'il fallait.

Pardon.

I
ANNÉES

1

Ma vie

— Oui, monsieur. Ce sera fait, bien sûr. Mes amitiés à votre épouse.

Je pose mon téléphone, incrédule. Qui d'autre que moi emploie encore cette tournure tombée en désuétude au siècle dernier ?

Je m'exprime comme une vieille, je vis comme une vieille, je ne discute qu'avec des vieux. Je *suis* vieille. Vieille et seule, voilà le résumé de ma vie.

Mais commençons par le commencement.

Je m'appelle Romane. J'ai trente-neuf ans. Je suis médecin généraliste, option hypocondriaque à tendance paranoïaque. Une spécialisation des plus originale que je n'applique qu'à moi-même, mes patients peuvent dormir tranquilles. Par habitude, plus que par choix, je vis à Paris, où je suis née. Je voyage peu, car j'ai peur de presque tout ce qui permet de se déplacer au-delà d'un rayon de dix kilomètres. Monter dans une voiture est une épreuve. Dans un train, un bateau ou un avion, n'en parlons pas. Je connais les statistiques, un crash tous les douze millions de vols, moins de chances de périr en avion que de gagner au Loto. Moi, ça me fout les jetons, parce que les gagnants du Loto, ils ne sont pas nombreux mais ils existent bel et bien. Je voyage peu car j'ai peur des araignées, des serpents, de toutes les bestioles qui piquent, mordent ou grattent, du paludisme, de la dengue, du chikungunya, de la rage, de la grippe aviaire, d'être enlevée par une organisation mafieuse, de faire un infarctus loin d'un hôpital de premier rang, de mourir déshydratée à cause d'une simple dysenterie.

Récemment, mes paniques ont pris de l'ampleur. Une ampleur obsessionnelle, diront certains – dont mon psy. Depuis six mois, je suis sujette à ce que l'on nomme couramment l'hyperventilation. Dès que j'ai un moment de stress, la sensation qu'un danger est imminent, j'ai besoin de respirer dans un petit sac en papier pour reprendre le contrôle. Visualisez la scène au rayon fruits et légumes du supermarché du coin : la fille assise à côté des courgettes origine France, qui suffoque parce que sa paume s'est posée par mégarde sur un fruit déliquescent et qui s'imagine succomber dans l'heure à une attaque bactérienne, c'est moi. J'ai la joie de me transformer plusieurs fois par jour en petit chien haletant, et les sacs en papier Air France sont mes meilleurs compagnons. Mon amie Melissa, qui par un hasard épouvantable se trouve être pilote de ligne, est devenue mon fournisseur officiel.

Vieille, seule, hypocondriaque, ridicule.

J'aurais pu ajouter moche, mais pour être honnête, ce n'est pas vrai. Chaque jour, je vois passer des corps que j'examine en toute sécurité, planquée derrière mes gants de latex, et je me rends bien compte que le mien n'est pas le pire. Mais je n'y peux rien, je ne l'aime pas ce corps. Alors je le cache sous des vêtements neutres.

Je suis discrète, presque invisible. C'est ce que les gens apprécient. Les gens, pas les hommes. Le seul homme dans ma vie, c'est mon père. J'ai grandi seule avec lui, protégée par lui, j'ai toujours suivi la voie qu'il avait tracée, et il y a six mois de cela, je vivais encore chez lui. Je l'aime comme ça, mon père. Jusqu'à l'étouffement. Mon psy dit que mon hyperventilation n'est rien d'autre que la manifestation somatique de mon besoin d'air vis-à-vis de mon père. « Coïncidence troublante entre vos problèmes de souffle et votre décision de vous éloigner de lui, vous ne trouvez pas ? » m'a-t-il asséné. Il a sans doute raison, d'autant que ça ne s'arrange pas côté respiration, malgré mon déménagement. À la veille de mes quarante ans, j'ai décidé d'apprendre à vivre sans mon père. J'ai largué les amarres. Mon psy m'assure que c'est une bonne décision. Qu'il était temps.

Il était temps, mais il était tard. Bien trop tard pour que mon père l'accepte sereinement. J'ai bien tenté de lui expliquer que les gens normaux, avec une vie normale, voient leurs parents trois fois par an, leur téléphonent une ou deux fois par mois, que nous ne sommes pas obligés d'aller jusque-là, que nous pouvons déjà passer d'une vie sous le même toit à des toits différents, d'une surveillance permanente de mes faits et gestes à un coup de fil par semaine, que je lui ai épargné de longues années de poussées hormonales et autres sautes d'humeur, qu'il devrait être content, non ? Non, bien sûr que non. Pour mon père, cette modification profonde de nos vies quotidiennes est tout aussi absconse qu'inacceptable.

Depuis quelques mois, il ne m'adresse la parole que par pure nécessité. J'ai parfois l'impression d'être face à un enfant boudeur de soixante-cinq balais, déçu que son jouet préféré lui échappe. Au début, sa réaction m'a fait mal. Trop dure, trop radicale. Puis je l'ai intégrée. Au final, je pense que cet éloignement temporaire est nécessaire. Qu'il nous fait du bien à tous les deux. Il faudra du temps à mon père pour accepter cette nouvelle donne, mais il y parviendra. Une fois le choc absorbé, nos relations se normaliseront. Se banaliseront. Et ma respiration avec.

Je me rends compte que je parle de tout ça comme d'une rupture amoureuse. *T'es vraiment grave, ma pauvre fille. C'est ton père, il n'y a pas rupture, il y a une mise à distance salutaire. Respire, Romane. Respire.*

Vieille, seule, hypocondriaque, pathétique, mais qui se soigne. Ou du moins, qui essaie.

*

Après avoir raccroché avec mon patient, je m'accorde quelques minutes pour boire un verre d'eau, me rafraîchir le visage. Aujourd'hui est un jour de canicule. J'ai l'impression désagréable d'être coincée dans un hammam, sans massage ni pâtisseries orientales. Je garde mon petit sac en papier à proximité car la moiteur m'oppresse. Mes vêtements collent, mes patients collent, mes gants collent. Ils ont annoncé 38 degrés à la radio ce matin. Un record à Paris, même pour un 15 juillet. Je suis en vacances à la fin de la semaine, et je ne sais toujours pas ce que je vais en faire. Rien ne m'effraie plus que de me retrouver face à moi-même – et Dieu sait que beaucoup de choses m'effraient. Je suis pourtant bien obligée de les

prendre, ces vacances : Paris se vide significative-
ment à ce moment de l'année, ouvrir le cabinet n'a
aucun sens. Pour me motiver à fuir la fournaise
parisienne, je me répète que me reposer renforcera
sûrement mes défenses immunitaires, ce sera toujours ça de pris.

Punaise, qu'est-ce qu'il fait chaud ! Oui, c'est ma
manière de parler. Dans ma tête je me dis putain
fait chier cette chaleur de merde, mais l'idée se
liquéfie en franchissant mes lèvres. J'ai acheté
un ventilateur pour le cabinet, un autre pour ma
chambre. Cette nuit, Fête nationale oblige, j'ai eu
du mal à fermer l'œil. Fenêtres ouvertes, j'enten-
dais les altercations avinées des pochtrons du coin,
et je ne pouvais pas m'empêcher d'imaginer qu'à
tout instant pouvait surgir un individu mal inten-
tionné. J'habite pourtant au cinquième étage, alors
à part le double maléfique de Spider-Man, le risque
d'intrusion est assez limité. Malgré tout, je n'étais
pas tranquille. Je me suis réveillée à plusieurs
reprises, en sueur. Autant dire qu'aujourd'hui il ne
faut pas trop me chercher. Ça, c'est ce que je formule dans ma tête – comme si j'allais mettre un
taquet à quelqu'un qui me gonflerait. La réalité,
c'est qu'aujourd'hui comme tous les autres jours, je
suis désespérément polie.

Je décolle une dernière fois mon chemisier
de mon dos, et j'ouvre la porte. Mme Lebrun

– soixante-dix ans, le cheveu tellement noir qu'il en devient perturbant, la dentition tellement parfaite qu'elle en devient suspecte – entre dans mon cabinet.

C'est une patiente de longue date, et une connaissance de mon père, selon ses dires : lorsqu'il exerçait encore son métier de gardien dans le parc des Buttes-Chaumont, je sais qu'il la croisait régulièrement. Je les ai soupçonnés à une époque de se connaître bien plus qu'ils ne l'avouaient. Mme Lebrun, d'ordinaire si volubile, s'assied en silence. Son mutisme m'étonne. M'inquiète.

— Ma petite Romane, il faut que nous discutions, toutes les deux.

Mme Lebrun me fixe de ses petits yeux sombres. Elle tient son sac sur ses genoux, les mains crispées. Son visage est fermé. Elle ne m'a jamais regardée comme ça.

Je ne le sais pas encore, mais Mme Lebrun s'apprête à modifier le cours de mon existence.

D'ici quelques minutes, rien ne sera plus pareil. Jamais.

2

Je vais bien

Mme Lebrun est toujours claire, nette, précise. *C'est mon tempérament, tu me connais, ma petite Romane.* Je la connais en tout cas suffisamment pour savoir qu'elle est foncièrement bienveillante. Pas le genre à colporter des ragots ou avancer des sous-entendus sans avoir réfléchi aux conséquences de ses paroles. Aussi, lorsqu'elle me demande avec précaution si tout va bien, je sens un frisson me parcourir. Mon corps se tend.

— Bien sûr, tout va bien. Mais c'est moi le médecin ici, c'est plutôt à moi de vous demander ça. Qu'est-ce qui vous amène ?

Je tente de dissimuler mon trouble derrière une jovialité forcée. Mme Lebrun prend une longue inspiration, plante ses yeux dans les miens.

— Je ne vais pas y aller par quatre chemins,

ma petite Romane. Tu sais que je t'aime beaucoup. Tu sais que je n'ai pas d'enfant et… je t'ai toujours considérée comme… importante.

Pause. Trop longue. Ma nature de foldingue paranoïaque me pousse à imaginer le pire. Mme Lebrun va m'annoncer une terrible nouvelle, Mme Lebrun est mourante. Elle a l'air en pleine forme pourtant, mais je suis bien placée pour savoir à quel point une maladie peut être sournoise.

— Romane, j'étais à Marseille le week-end dernier.

Je me dis : *qu'est-ce que ça peut bien me faire, madame Lebrun, votre petit voyage à Marseille ?* Mais évidemment je me tais. Elle continue :

— Ma sœur a une fracture du col du fémur, je lui ai rendu visite. Elle est hospitalisée. À l'hôpital Nord.

— Je suis désolée pour votre sœur. Je suis certaine que tout va rentrer dans l'ordre très vite. Elle est encore jeune, il me semble. Ne vous inquiét…

— Ma sœur n'est pas le problème, Romane, elle s'en remettra. Le problème c'est toi.

Mme Lebrun vient de m'interrompre sèchement. Elle n'est pas dans son état normal.

— Je ne suis pas sûre de vous suivre… De quel problème parlez-vous ?

— Romane, je t'ai vue. À Marseille. J'étais

descendue acheter un magazine à la boutique de l'hôpital, quand je t'ai vue entrer.

Punaise, Mme Lebrun a pété une durite.

— J'ai été intriguée. Parce que ton père ne m'avait pas dit que tu devais te rendre là-bas. Et puis surtout…

— Surtout quoi, madame Lebrun ?

— Surtout… tu étais déguisée. Tu avais mis une perruque rousse et une robe un peu trop décolletée à mon goût, mais enfin c'est le genre de robes qui se font aujourd'hui. Alors je t'ai suivie, sans rien dire. Je voulais savoir.

— Madame Lebrun, qu'est-ce que vous racontez ? Je ne suis jamais allée à Marseille de ma vie, et samedi dernier je suis restée chez moi à regarder une saison complète de série américaine. Vous avez vu quelqu'un qui me ressemble, et vous avez imaginé ce scénario improbable, voilà tout… Comment vous sentez-vous ? Avez-vous des douleurs au crâne en ce moment ?

— Ma petite Romane, ne te moque pas de moi. Je suis vieille, mais je ne suis pas stupide. Je vais très bien merci, et j'aimerais pouvoir en dire autant de toi… Je voulais juste te rappeler que… si tu as besoin de quoi que ce soit, je suis là. Je n'ai rien dit à ton père, bien sûr. Je serai muette comme une tombe.

Mme Lebrun semble véritablement touchée. Très inquiète pour moi.

— Tout ça est ridicule. Je ne sais pas quelle histoire vous avez fantasmée à mon propos, mais je vous assure que je vais parfaitement bien. Arrêtez de vous faire du mouron pour moi, j'ai bien assez de mon père pour ça.

— Romane, je t'ai vue, bon sang ! À l'autre bout de la France, pour que personne ne sache. Je t'ai suivie, j'ai vu le médecin te faire entrer dans son bureau. J'ai vu son regard grave, je t'ai vue tousser. Je t'ai attendue. Trente minutes plus tard, ton dossier médical sous le bras, tu as fondu en larmes. Tu as mis des lunettes de soleil pour cacher ton désarroi. Tu semblais dans un état second. Tu es partie très vite. Je me suis approchée de la porte du médecin, j'ai lu l'intitulé de la plaque…

Je ne comprends pas un mot de ce que Mme Lebrun me raconte. Je sens monter une crise. Ma respiration s'accélère.

Elle s'en aperçoit, se lève, pose une main sur mon épaule. Elle hésite une dernière fois, puis se décide :

— Romane, pourquoi as-tu rencontré le chef du service de pneumologie de l'hôpital Nord ?

*

Ensuite, j'ai perdu le fil de la conversation. Je me suis mise à flotter.

Mme Lebrun mettait tellement de force à me convaincre que j'étais réellement malade que je n'ai plus tenté de la contredire. Il fallait qu'elle sorte de mon cabinet, au plus vite. La chaleur me prenait à la gorge. Je suffoquais. J'avais besoin de respirer dans mon petit sac, mais je ne voulais pas le faire en sa présence, je ne voulais pas étayer ses hypothèses farfelues par des faits, des images concrètes. Je l'ai remerciée, elle m'a de nouveau promis qu'elle ne dirait rien à mon père, que cela resterait entre nous, m'a réitéré son soutien, et je l'ai poussée vers la sortie.

Une fois la porte close, je me suis assise sur le sol. Il m'a fallu dix bonnes minutes pour réguler mon rythme respiratoire.

J'ai expédié en moins d'une heure les quatre dernières consultations. Abrégé cette journée. Je ne parvenais plus à me concentrer, je devais rentrer chez moi. Réfléchir.

Mme Lebrun a vu une femme en détresse qui n'est pas moi, puisque je sais bien où j'étais samedi dernier. Punaise, elle me fait dire n'importe quoi, cette vieille cinglée – ce n'est pas moi, point barre, aucune justification à apporter. Mais Mme Lebrun n'est pas folle, justement. Son assurance m'a troublée, car elle semblait en pleine possession de ses

27

moyens. Un détail dans ce qu'elle a dit m'obsède, plus encore que tout le reste. Elle a évoqué une perruque rousse. Je suis brune depuis l'adolescence, mais le roux est ma couleur naturelle. Je ne me souviens pas que Mme Lebrun m'ait jamais connue rousse. Bien sûr je ne suis pas la seule rousse sur Terre, bien sûr mon père a pu évoquer avec elle cette rousseur. *C'est une coïncidence ou une affabulation, rien de plus, Romane.*

Au cours de la soirée, la focalisation de mon esprit sur l'attribut capillaire de cette Marseillaise a laissé progressivement s'épanouir une hypothèse. Aussi insolite qu'excitante. Et si cette personne était de ma famille ? Cela pourrait expliquer une vague ressemblance. Et si la curiosité de Mme Lebrun me permettait de rencontrer enfin un membre de cette parenté dont mon père a toujours refusé de parler, et avec laquelle il a coupé les ponts après la mort de maman ?

Le décès de ma mère. L'élément qui a déterminé, j'en suis certaine, mes fêlures, mes peurs, celles de mon père, mon isolement, ma relation fusionnelle avec lui, si difficile à dépasser, ma vie, mon absence de vie.

Ma mère est décédée lorsque j'avais tout juste un an.

De la plus tragique des façons. En me sauvant.

Je ne garde aucun souvenir d'elle, ni de cet

après-midi d'hiver. Des impressions, des sensations sont peut-être imprimées quelque part, dans une circonvolution de mon cerveau ? Rien de conscient, en tout cas. J'étais si petite.

Mon père m'a toujours dit qu'il faisait beau, ce jour-là. Qu'il fallait bien ça, « pour le dernier jour d'une déesse ». Qu'il n'aurait pas pu en être autrement. Depuis, j'éprouve une aversion irrationnelle pour le soleil des froides journées parisiennes. Ses rayons sont des lames qui me transpercent et reflètent à l'infini la mort de ma mère. Même si mon père m'a sans cesse répété, fataliste, qu'il n'y avait rien à faire, que c'était « la faute à pas de chance », je me suis toujours sentie responsable. Elle a donné sa vie pour la mienne. Si elle ne s'était pas précipitée pour projeter d'un coup sec ma poussette vers le trottoir, c'est moi qui serais morte. Mon psy balaie désormais cette culpabilité lancinante d'un revers de la main. Après toutes ces années de consultation, il faut que je passe à autre chose. Mais je n'y arrive pas. Lorsque je regarde des photos de maman, elle est tellement souriante, tellement belle, tellement *mieux que moi*, que je ne peux m'empêcher de penser que sa vie aurait mérité d'être prolongée.

Mon père a concentré sur moi tous ses espoirs, toute son attention, tout son amour. Voilà pourquoi il m'est si difficile de m'émanciper vraiment.

Depuis toujours nous sommes une famille de deux personnes. Mon père a tourné la page du passé, soigneusement. Je n'ai jamais rencontré aucun grand-oncle, aucune grand-tante, personne, jamais.

Et voilà que soudain, Mme Lebrun m'offre une perspective nouvelle. Différente. Probablement sans fondement, mais qui sait ? On ne peut l'assurer comme ça, sans vérifier. J'ai forcément des cousins éloignés, je ne suis pas née par l'opération du Saint-Esprit, malgré le prénom de mes parents. Marie et Joseph. Je me suis toujours dit que si j'avais été un garçon, ils m'auraient peut-être appelée Jésus… et que je l'avais échappé belle.

Mais je digresse. Pour mieux revenir au sujet qui m'obsède, depuis la révélation de Mme Lebrun : j'ai envie de rencontrer cette femme. J'ai besoin de savoir. D'en avoir le cœur net.

Je suis allongée sur mon lit. Impossible de fermer l'œil.

Mme Lebrun m'a aiguillonnée. Ce qu'elle a remué en moi va bien au-delà de la curiosité. Elle est tellement sûre d'elle, sûre de m'avoir vue *moi*, que c'en est angoissant. Et exaltant. Depuis combien de temps ne m'est-il pas arrivé quelque chose d'aussi excitant ? J'essaie de rassembler mes idées, elles partent dans tous les sens. Morbides, parfois. Euphorisantes, souvent.

2 heures du matin, je ne dors toujours pas.

Je repasse les paroles de Mme Lebrun en accéléré, au ralenti.

Il fait une chaleur insupportable dans mon appartement. Je décide de prendre une nouvelle douche. Froide. Le jet glacé heurte mon visage, et soudain je sais quoi faire. Je sors de ma salle de bains en hâte, une serviette nouée sur la poitrine. Je suis encore trempée, mais peu importe.

Nous sommes en plein mois de juillet, je suis en congé dans trois jours, n'ai toujours rien prévu. Je suis libre comme l'air marin, lequel me fera sûrement le plus grand bien. Je vais partir pour Marseille. Explorer en profondeur cette ville dans laquelle je n'ai jamais mis les pieds.

J'allume mon ordinateur et commence à organiser mes vacances, frénétiquement.

Je crois que je n'ai pas ressenti une telle excitation depuis longtemps.

Je vais visiter les calanques. La Canebière. Le Panier. La Cité radieuse.

Et l'hôpital Nord.

3

Marseille

Je descends gare Saint-Charles et suis saisie par
la chaleur, étouffante. Après avoir grelotté trois
heures dans un wagon trop climatisé, le contraste
est presque douloureux. Je pensais la canicule
réservée aux territoires dépourvus d'horizon mari-
time, je la découvre aussi redoutable au bord de la
Méditerranée.

Je suis soulagée que mon TGV soit arrivé sans
dommage. J'avais avalé un relaxant musculaire
juste avant le départ, pensant favoriser un endor-
missement en bonne et due forme. Tu parles, le
train débordait de gosses s'agitant dans tous les
sens. J'ai eu tout le temps d'élaborer le scénario
d'une catastrophe ferroviaire d'envergure, de sur-
sauter au moindre passage de tunnel. Je préfère

de loin affronter la brûlure de l'air marseillais, les deux pieds ancrés dans le sol.

Les abords de la gare sont envahis de familles, de valises gonflées à bloc et de groupes d'adolescents hilares, savourant la liberté surveillée d'une colonie de vacances dont ils garderont un souvenir ému – ou pas, si comme moi ils frémissent à l'idée de se doucher au milieu des poils pubiens de leurs congénères. Nous sommes le 18 juillet, un de ces fameux samedis de départs en vacances. Je n'avais pas réalisé cette horreur, sinon j'aurais réfléchi à deux fois et différé mon départ d'un ou deux jours. Mais je suis là.

Je me fraie un passage vers la file d'attente des taxis. J'entends voler des noms d'oiseaux au passage d'une berline noire aux vitres teintées. Un chauffeur Uber se voit affublé des plus belles expressions locales de dégoût, grands gestes à l'appui. Je ne peux m'empêcher de sourire en réalisant que je suis à Marseille. Une ville que les médias ont longtemps caricaturée, la présentant comme dangereuse, sale, abandonnée. Depuis quelques années, j'ai vu fleurir de nombreux articles soulignant la beauté de ses paysages, son renouveau culturel. Je suis à Marseille et j'en suis ravie. Je me le formule clairement, et mon utilisation de ce simple adjectif est suffisamment rare pour être soulignée.

Je me suis autorisé une petite folie : quitte à prendre des vacances, autant réserver une chambre extraordinaire. J'ai donc choisi un hôtel de luxe récemment rénové, bénéficiant d'une vue plongeante sur le Vieux-Port, sa grande roue et la basilique Notre-Dame-de-la-Garde. L'endroit est incroyable, la vue est saisissante, et la température dans ma somptueuse chambre est idéale. Je me surprends à sourire. À imaginer à quoi pourrait bien ressembler ma vie si je vivais ici, dans le sud de la France. Est-ce que mon rythme serait le même ? Est-ce que mon quotidien y serait plus doux ? Je pourrais rester des heures à contempler le paysage. Je pourrais mais ce n'est pas du tout ce qui va se passer.

J'avais en théorie décidé de prendre le week-end pour me détendre, me reposer, attendre le lundi pour me rendre à l'hôpital Nord. Comme s'il s'agissait de vraies vacances. Mais bien sûr, je n'y tiens plus. Y ai-je vraiment cru ? Toutes mes résolutions ont volé en éclats dès que j'ai posé le pied sur le sol marseillais : autant être honnête avec moi-même, je suis venue là avec un objectif précis, je ne réussirai jamais à passer tout un week-end sans penser à cette femme qui m'obsède depuis trois jours. Je change de vêtements, je noue un foulard gris passe-partout dans mes cheveux, je me parfume, me rends aussi présentable que possible, juge que ça peut aller, descends les marches de mon hôtel impérial. Je m'aperçois que je respire très bien. J'ai ma réserve de petits sacs avec moi mais elle ne m'a pas servi une seule fois depuis que je suis arrivée à Marseille. Je hèle un taxi et me dirige avec une grande fébrilité vers les quartiers Nord.

Changement de décor abrupt. Des barres d'immeubles, du béton morose. Au beau milieu de tout ça, une effervescence populaire et joyeuse, à rebours des clichés. L'adorable chauffeur qui m'a prise en charge me dépose, après avoir vanté sa ville à grand renfort de superlatifs, et souligné ma chance inouïe de la découvrir pour la première fois. Je ne suis pas loin de le croire. L'hôpital ressemble à s'y méprendre à l'une de ces cités HLM géantes au cœur desquelles il est implanté mais, ici aussi, le chant des cigales est assourdissant. Ça n'est pas une légende, ces bestioles hurlent sans relâche, apportant une touche de charme solaire à des lieux qui en manquent cruellement. C'est la première fois que j'entends ce chant ailleurs que dans un film, et je trouve ça beau, émouvant.

Une fois à l'intérieur du bâtiment, je remarque la boutique du hall et me surprends à chercher des yeux Mme Lebrun. C'est absurde bien sûr, mais j'ai l'intuition qu'elle serait capable de continuer à faire le guet tant que je n'aurais pas avoué ma maladie. Je m'approche de l'accueil, m'informe de la localisation du service de pneumologie, merci madame, bonne journée madame.

Rien ne ressemble plus à un hôpital qu'un autre hôpital. Partout la même frénésie, les mêmes visages tendus. Les hôpitaux manquent de moyens, le temps est une denrée trop rare pour toutes ces femmes, tous ces hommes qui dédient leurs jours, leurs nuits à réconforter, sauver, améliorer ce qui peut l'être. Je les admire et j'en veux aux responsables politiques de ne rien faire, de tout céder à la puissance de la finance, de ne rien lâcher pour améliorer les conditions de travail de ces milliers de soignants, les conditions de vie de ces milliers de patients. La santé, c'est pourtant ce que l'on souhaite en premier aux gens que l'on aime, le plus fabuleux des cadeaux. Et pourtant, la santé devient un luxe. Ça me rend malade. Après mes études, j'ai décidé de m'orienter vers ce que l'on appelle «la médecine de ville», parfois avec un léger mépris, un sous-entendu d'infériorité par rapport à la vraie médecine, celle des centres hospitalo-universitaires. Moi, je pense que ce sont les deux faces d'une même pièce. Complémentaires, indispensables. Je suis bien trop sensible à la souffrance humaine pour ne pas prendre le temps de l'écouter. Alors j'écoute, dans mon petit cabinet. Je suis de ces médecins qui privilégient la qualité à la quantité. J'essaie, en tout cas.

Le service de pneumologie bouillonne d'activité. J'erre quelques instants autour du bureau des admissions, cherchant la salle d'attente. Je n'ai pas de plan d'attaque, rien. Enfin si, j'ai un plan simplissime. Je vais m'asseoir et observer. Je sais que tous les patients ont leurs habitudes : certains appellent mon cabinet plusieurs semaines à l'avance afin d'être bien certains d'obtenir le créneau du lundi matin 8 h 30, et lorsque je leur demande pourquoi ils tiennent tant à ce créneau, ils me répondent invariablement que c'est le leur, voilà tout. Alors je me dis que le samedi est peut-être le jour de consultation favori de cette femme qui me ressemble tant. J'ai mon iPad avec moi, le service est climatisé, j'ai tout mon temps. Si rien ne se passe aujourd'hui, eh bien j'aviserai.

Je m'apprête à m'installer, quand une jeune femme – une secrétaire médicale – me fait signe de m'approcher du comptoir. Je tremble légèrement. Que me veut-elle ?

— Vous tombez bien, je pensais que vous étiez déjà loin. Vous avez oublié votre carte Vitale, après votre rendez-vous de ce matin. Tenez. Bonne fin de journée.

Je bredouille quelques remerciements, me retourne, marque un arrêt, puis m'éloigne en pressant le pas. Je serre très fort dans ma main droite la carte qui vient de m'être remise. Les battements de mon cœur résonnent jusque dans mes membres. Ce qu'il vient de se passer est parfaitement limpide : la jeune secrétaire m'a confondue avec cette autre que je recherche. Elle n'a pas eu l'ombre d'une hésitation. Mme Lebrun n'est donc pas la seule, notre ressemblance doit être forte, je ne m'attendais pas à une telle immédiateté.

Je sens monter un malaise. Ma respiration est de plus en plus hachée. Je suis une voleuse en fuite. Je jette des coups d'œil furtifs autour de moi, j'ai l'impression que tout le monde sait que je viens de dérober la carte d'assurance maladie d'une autre. Je crois déceler des regards désapprobateurs. Je marche vite, très vite. Je n'ai toujours pas examiné la carte que je tiens dans la main. J'espère que c'est une carte nouvelle génération, avec une photo. Dans un court instant, je vais découvrir ce visage, apparemment si proche du mien.

Je sors du bâtiment, m'affale sur un muret, à quelques mètres de deux brancardiers en pause cigarette. Je saisis mon plus beau sac en papier, le porte à ma bouche sous leur regard gêné. Ils éteignent leurs clopes, écourtent leur pause, je m'en veux de les chasser, je n'avais pas pensé à ça. Je n'avais pas pensé à grand-chose en vérité. J'aimerais me faire toute petite, disparaître dans un trou de souris, mais j'ai besoin de m'asseoir, de reprendre mon souffle. Afin de découvrir cette carte.

Je compte un, deux, trois, et je regarde.

Merde merde merde merde. C'est une de ces anciennes cartes, sans photographie. Je vois apparaître un nom. Juliette Delgrange. Totalement déconnecté de celui de mon père, de celui de ma mère, de ceux de mes grands-parents. Un joli nom, mais qui n'a rien à voir avec moi. Je suis déçue. Le soufflé retombe. L'espoir que cette femme soit une parente éloignée s'amenuise. Ma respiration se normalise. Je m'en veux d'être si naïve, je m'en veux d'avoir pensé que quelque chose d'un tant soit peu intéressant pouvait m'arriver.

Je lis machinalement la série de numéros impersonnels qui orne la carte à puce, et soudain quelques neurones asphyxiés reprennent vie.

Je frissonne. La carte Vitale n'est pas une carte comme les autres. Le codage des premiers nombres indique le sexe, l'année de naissance, le mois de naissance, le département de naissance. Je suis asséchée, je ne parviens plus à me concentrer. Je cours vers le distributeur de boissons le plus proche. Je vide d'une traite une bouteille d'eau, reprends mes esprits et scrute cette carte à m'en user les yeux.

Les sept premiers numéros de la carte Vitale de Juliette Delgrange indiquent qu'il s'agit d'une femme, née en janvier 1976, à Paris.

Comme moi.

4

Impossible

Je reste assise un long moment sur le muret, l'air hagard. Un infirmier me demande si j'ai du feu, tente d'engager la conversation. Je lui montre mon petit sac en papier, fais semblant de ne pas parler français. Il ne me croit pas mais comprend le message. Je regarde droit devant moi, sans rien voir. Je suis bouleversée.

J'utilise mon trajet retour pour en apprendre le plus possible sur cette Juliette Delgrange qui, depuis qu'elle a un nom, a acquis une prodigieuse réalité. Ce que je désire par-dessus tout, c'est trouver une photo d'elle. La voir de mes propres yeux.

Le moteur de recherche de mon smartphone m'oriente tout de suite vers Facebook. Il y a trois Juliette Delgrange. N'étant moi-même pas présente sur ce réseau social – pour des raisons évidentes de sécurité personnelle –, je n'ai accès qu'à leurs photos de profil. Ce sera bien suffisant pour un début. Je clique sur le premier profil, je sens le sang battre mes tempes. Une photo s'affiche. Rien à voir avec moi. Du moins j'espère que l'on ne me confond pas avec cette mocheté, ce serait un coup à mon moral… Oui, je peux être garce parfois – mais tout ça reste dans ma tête, bien entendu. Le deuxième profil ne montre aucune image, fait rarissime de nos jours. Je crains que ce ne soit elle. Elle aurait bien raison de se protéger, le web est truffé d'obsédés en tout genre.

Je tente le troisième profil. Le dernier. Ma main droite tremble comme une feuille, je stabilise mon téléphone avec la gauche, cale mon bras contre la porte. Le cliché met de très longues secondes à s'afficher. Je suis en taxi, mon téléphone ne capte le réseau que par intermittence. Je me cramponne à l'écran. L'espace d'un instant, je me revois enfant, un soir d'élection présidentielle, assise à côté de mon père sur le canapé du salon, dans l'expectative. Le visage du nouveau président se dessine lentement sur notre encombrant poste de télévision, de haut en bas, faisant durer le suspense devant les yeux mi-ébahis mi-agacés de millions de téléspectateurs. Je suis, à cet instant précis, dans ce taxi qui roule bien trop vite, suspendue à la révélation, millimètre par millimètre, de Juliette Delgrange.

Lorsque son visage apparaît, je pousse un cri, porte la main à ma bouche, et me mets à pleurer, dans un mouvement incontrôlable. Je détourne le téléphone, comme si l'image allait m'engloutir. Je la laisse me consumer quelques instants, silencieuse, les yeux fermés. Puis je l'observe de nouveau, je zoome, je décortique. Comment est-ce possible ?

La photo est un peu floue, de biais, pas sa meilleure probablement. Je me méfie des images : en trois secondes chrono, le moindre laideron devient un sex-symbol, de nos jours. Les filtres déforment les couleurs, la réalité. Mais le visage de Juliette Delgrange est si proche du mien. Ses cheveux semblent roux, aucun doute là-dessus. D'un roux qui m'est plus que familier. La texture de sa chevelure, épaisse, dense, semble similaire, elle aussi. Je ne vois pas la couleur de ses yeux, l'angle ne le permet pas. Les miens sont bleus, d'un bleu que j'ai toujours jugé dur, affadissant l'ensemble de mon visage. Lequel, trop blanc, constellé de taches de rousseur, m'a longtemps donné des airs de Marlène Jobert du pauvre. À l'école, on m'affublait parfois du surnom «taches de son», le même que celui de Candy, l'héroïne de manga des années 80. Juliette Delgrange a-t-elle subi ces moqueries, elle aussi ? Les a-t-elle mieux vécues ?

Je ne peux pas détacher mon regard de son visage. Je la trouve belle. D'une beauté évidente, naturelle. Je ne me suis jamais trouvée attirante, j'ai toujours pensé que je n'avais aucun charme. Comment est-ce que je peux juger si différemment cette autre, pourtant si semblable ? Qu'est-ce qui modifie à ce point ma perception ? La distance, le fait qu'il ne s'agisse pas de moi, bien sûr. Mais pas seulement. Sur cette photo, Juliette Delgrange dégage une aura, un charisme que je n'ai jamais eu, que je n'aurai jamais. Elle sourit, semble heureuse, sûre d'elle. Elle a l'air de *se sentir* belle. Et ça change tout.

Le chauffeur – nettement moins sympathique que le précédent – a très peur que je lui « pourrisse ses sièges en cuir » lorsque je sors mon sac en papier Air France. Je comprends sa crainte de voir ses clients vomir, étant donné la dose de vanille artificielle qui flotte dans l'habitacle de sa Mercedes. Je le rassure, je vais juste respirer dedans, qu'il ne s'inquiète pas. Il me jette un œil noir par rétroviseur interposé, me considérant probablement comme bonne à enfermer. Il est vrai qu'en l'espace de cinq minutes, j'ai crié, pleuré, et respiré comme un clébard. Peut-être n'est-il pas si loin du compte.

Je continue mes recherches. Une dizaine de clics suffisent à cerner la vie de Juliette Delgrange : identifier son métier, son lieu de vie, quelques-uns de ses hobbies – ce qu'elle accepte, bon gré mal gré, de rendre public. C'est incroyable tout ce qu'internet peut nous livrer sur une inconnue en l'espace de vingt petites minutes.

Juliette Delgrange possède une librairie, située en plein cœur d'Avignon, au site web des plus dépouillé : une adresse, une photo de la jolie devanture ancienne des *Mots de Juliette*. Une enseigne en bois irrégulier, recouverte d'un vert tendre légèrement écaillé, le nom de la librairie se détachant en lettres blanches, une belle écriture d'écolier, quelques fleurs devant l'entrée. Un lieu dégageant d'emblée une étonnante sérénité, une poésie. Je cherche une photo de la propriétaire, en vain.

Twitter m'aide à compléter le portrait virtuel de Juliette Delgrange. C'est une passionnée de livres – ça, je l'avais compris –, et de théâtre. Son compte relaie les actualités de nombreux spectacles, quelques recommandations de pièces « à ne pas manquer », et quelques avis succincts sur les romans du printemps dernier. Pas d'autre photo d'elle, je dois me contenter de ce que j'ai trouvé.

C'est bien suffisant pour m'ébranler sérieusement.

*

Parvenue à l'hôtel, je négocie âprement de ne régler qu'une nuit sur les sept initialement réservées. Ils acceptent, nous sommes en plein mois de juillet, l'hôtel est complet, il ne sera pas difficile de trouver d'autres clients, et j'ai l'air vraiment bouleversée par ce «problème personnel» qui m'est tombé dessus et qui m'oblige à quitter Marseille précipitamment. Je refais le chemin en sens inverse vers la gare Saint-Charles et saute dans un TGV, quelques heures seulement après en être descendue.

Mon séjour à Marseille a été de courte durée. Moins d'une journée, record battu. Je me promets d'y revenir, dans de meilleures conditions. Marseille est une séductrice. Sensuelle, singulière. Son ciel acide a amplifié l'impact de mes découvertes, sa musique a exacerbé mes sensations à un point que je n'avais pas envisagé.

*

Je passe la majeure partie du trajet à chercher où me loger, remerciant le ciel d'avoir mis dans mes mains ces instruments électroniques qui permettent aux plus désorganisés de trouver un toit à la dernière minute.

Je débarque à Avignon à 20 h 12, un samedi soir de juillet et de canicule. Les rues sont noires de monde, les restaurants débordent bien au-delà des terrasses, on se bouscule dans un joyeux vacarme.

La fête bat son plein. Nous sommes en plein festival, je le sais. Chaque année, on nous bassine avec des reportages qui nous injectent une bouffée de culture enthousiaste, nous incitent à participer à la plus importante manifestation de théâtre de l'année. Avignon se revendique «le plus grand théâtre du monde», et génère, avec ses mille cinq cents spectacles, plus d'un million d'entrées sur les trois dernières semaines de juillet. L'horreur pour une agoraphobe.

Je slalome péniblement en direction du petit studio que je suis parvenue à dégotter *in extremis*, tire d'une main ma bruyante valise, tente de m'orienter en suivant les plans supposément intelligibles de mon smartphone. Dans une rue pavée, les roues de pacotille vrillent, mon bagage se retourne, je jette un regard gêné par-dessus mon épaule, sens monter un relent de transpiration. Je vérifie discrètement mon aisselle, constate que je suis bien la coupable, me promets de changer de déodorant dès que possible, repars, répète l'opération retournement de valise une bonne dizaine de fois. Je suis à deux doigts de pleurer, de renoncer. Mais je suis si proche du but. À quelques rues de là se tient la librairie de Juliette Delgrange. Je ne peux plus m'arrêter, plus maintenant, la mécanique est enclenchée. Dans ma tête, dans mes tripes, là, profondément.

Je récupère les clés du studio dans une petite boîte vissée à la porte d'entrée, seulement protégée d'un code à quatre chiffres – tout ça me semble extrêmement imprudent, j'imagine ce qui pourrait se passer si quelqu'un avait déjà fait un double de ces clés et m'attendait là-haut avec des cordes, un couteau, une tronçonneuse, que sais-je. Je chasse les images, grimpe les deux étages, ouvre la porte le cœur battant. Aucun meurtrier sanguinaire, je m'enferme à double tour et me précipite sous la douche. Dieu que ça fait du bien. J'ai l'impression de ne faire que ça en ce moment : suer, suffoquer, tressaillir, prendre des douches…

Le studio est petit mais bien conçu, meublé à 100 % chez Ikea, propre, presque cosy. Je branche le ventilateur et m'installe sur le fauteuil à bascule, best-seller du géant du meuble suédois. Je ferme les yeux. J'ai besoin de me poser pour passer en revue toutes les hypothèses qui m'envahissent, m'épuisent.

Qui est Juliette Delgrange ?

Hypothèse n° 1 : la plus probable, celle du sosie. Quelqu'un qui me ressemble, qui n'est peut-être même pas une vraie rousse d'ailleurs, qui n'a aucun lien ni avec moi, ni avec Marlène Jobert, ni avec Candy.

Hypothèse n° 2 : Juliette Delgrange est une cousine éloignée. C'est une possibilité que j'ai envisagée depuis le début, qui se tient. Si elle s'avère être la bonne, elle nécessitera une grosse explication de mon père pour ce qui est du lien de parenté, car je ne connais personne du nom de Delgrange dans ma famille. Au moment où je formule cette hypothèse, je réalise que Delgrange n'est peut-être pas son nom de jeune fille, que c'est peut-être son nom de femme mariée. Bien sûr, comment n'y ai-je pas pensé plus tôt ? Tout le monde ne peut pas être aussi seul que moi. Ce constat me serre le cœur, mais fait remonter en pole position ce scénario de cousinage impromptu.

En principe il n'y a pas d'autre hypothèse pour quelqu'un de sain d'esprit.

Pour moi, si.

Toujours mes histoires de probabilités, de gagnants du Loto qui ont touché un pactole *impossible*, de personnes décédées dans un crash d'avion *impossible*.

De deux femmes nées le même mois, la même année, dans la même ville. De deux femmes qui se ressemblent de manière *impossible*.

À l'impossible, nul ne peut croire. Sauf ceux qui le vivent, ou en meurent.

Hypothèse n° 3 : l'hypothèse *impossible*.

Bien sûr, c'est impossible. Par définition, c'est impossible. C'est ce que je me répète. Les implications de ce scénario sont bien trop douloureuses. Je ne suis pas sûre de pouvoir, de vouloir les affronter. Je crois perdre la raison, je ne dors pas, j'oublie de respirer. Je passe l'une des nuits les plus dures de mon existence. Une nuit d'apnée.

Progressivement, la probabilité zéro s'estompe. Gangrène le moindre centimètre cube de mes méninges. Devient un kyste encombrant.

Une tumeur à laquelle mon corps commence à faire une place dangereuse.

Car son étrange beauté me submerge.

Je respire. Je m'endors.

5

Juliette

Je suis de plus en plus fatiguée. Les dernières nuits ont été éprouvantes. Je n'ai jamais été une grosse dormeuse, mais là je tourne à une moyenne de quatre heures de sommeil, ça n'est pas suffisant. J'ai des cernes de dix kilomètres, que je tente de camoufler tant bien que mal. Dans mon petit studio avignonnais, il faisait 27 degrés en plein cœur de la nuit. Alors j'ai ouvert les fenêtres, et me voilà ce matin constellée de piqûres de moustiques. Heureusement, mon visage a été épargné, je n'aurai pas l'air d'une prépubère en pleine poussée hormonale.

Il est 9 h 30 lorsque je sors. Nous sommes un dimanche, mais le site web de la librairie indique que celle-ci est exceptionnellement ouverte sept jours sur sept pendant le festival. Je me demande comment Juliette a fait pour être à Marseille la veille. A-t-elle des employés ? Un conjoint ? Je me demande aussi si Juliette s'est rendu compte qu'elle n'avait plus sa carte Vitale. A-t-elle contacté l'hôpital ? A-t-elle eu une altercation téléphonique avec la secrétaire médicale ? « Voyons, je vous ai rendu votre carte en main propre, de qui vous moquez-vous ? »

Toutes ces pensées inoffensives, je les passe et repasse dans ma tête pour éviter de me laisser déborder par d'autres, plus lourdes. Ça ne sert à rien de me perdre en conjectures, il faut que j'aille la voir. Qu'est-ce que je vais bien pouvoir lui dire ? « Bonjour, on ne se connaît pas mais on a comme un air de famille vous ne trouvez pas ? Au fait je sais que vous êtes malade, j'ai volé votre carte Vitale, vous ai pistée depuis Marseille… tout ça me donne des airs de grosse psychopathe, mais j'aimerais beaucoup que vous ne vous enfuyiez pas. » Quoi que je dise, quoi que je fasse, elle me prendra pour une folle de toute façon, donc autant arrêter de cogiter.

Je me suis déjà bien assez torturée en réfléchissant à ce que l'hypothèse *impossible* impliquerait. La première chose, évidente, serait le mensonge. Un mensonge de près de quarante ans, ça n'est pas anodin. Ça ne peut donc pas être ça, je refuse de le concevoir. Voilà ce qu'il va se passer : je vais m'approcher, et cette Juliette sera une fausse rousse, aura les yeux marronnasses, un nez bien plus gros que sur cette photo probablement photoshopée, quelques dents tordues et un énorme grain de beauté lui barrant le front. Je la saluerai, lui rendrai sa carte Vitale en lui expliquant que l'on m'a prise pour elle à l'hôpital hier – ha ha quelle bonne blague n'est-ce pas, moi non plus je ne comprends pas –, que je devais venir à Avignon et ai donc proposé de la lui rapporter, la voici, ne me remerciez pas, je vous en prie c'est bien naturel, au revoir madame, ravie de vous avoir rencontrée, et au fait voilà les coordonnées d'un bon dermatologue, faites contrôler ce grain de beauté à l'occasion.

À l'issue de ces quelques dialogues imaginaires, je suis déjà devant la librairie. Avignon n'est pas Paris, les distances sont nettement plus réduites. La boutique ouvre à 10 heures, je m'installe sur un banc situé sur le trottoir d'en face, et observe la rue. Il est encore tôt, mais la ville est déjà très animée. Des comédiens et jongleurs débarquent, vantant les mérites de leur spectacle du soir à grand renfort de musique façon Piste aux Étoiles. Je suis aux premières loges. L'un des jongleurs – grimé en clown – s'approche, m'identifie comme une proie facile. Tous les yeux se braquent sur moi. Je proteste vigoureusement, je déteste me faire remarquer, qu'est-ce qu'il me veut ce putain de clown ?

C'est ce que je me dis intérieurement, bien sûr. Dans la vraie vie je souris niaisement, sous les regards amusés des passants, et me retrouve embrigadée dans le show, lançant des quilles à un mec déguisé en soleil, arborant un chapeau-Voie-lactée et quelques planètes valdinguant autour de sa tête de con. Je continue de sourire mais lui fais signe que c'est bon maintenant, ça va aller. Je lui rends ses quilles, il me soulève le bras afin que je salue – j'espère que je ne transpire pas déjà… non, ça va. Applaudissements nourris du public en délire, et voilà que le gars essaie de me claquer la bise maintenant. Là je m'écarte gentiment, me soustrais au spectacle le plus discrètement possible, sors du cercle des badauds à reculons.

Je recule encore, me colle à un mur sans quitter des yeux la troupe qui s'éloigne. La façade glacée me fait du bien. Je respire. Le mec déguisé en soleil me fait un petit signe de la main et un sourire, je ne les lui rends pas. Je regarde ma montre. 9 h 50. La librairie ne va pas tarder à ouvrir. Je lève les yeux, la cherche du regard et me rends compte que je suis en réalité depuis quelques minutes adossée à la vitrine des *Mots de Juliette*.

Je m'écarte légèrement, forme une visière avec mes mains, plisse les sourcils pour habituer mon regard à l'obscurité qui règne encore à l'intérieur de la boutique. Mes yeux mettent quelques secondes pour accommoder, ils se posent d'abord sur le fond de la librairie. J'aperçois de grands meubles patinés, des bibliothèques chaleureuses en bois brut, et deux fauteuils Chesterfield aux capitons profonds, encadrant une table basse recouverte de mosaïque, sur laquelle sont posés quelques beaux livres de photographie en noir et blanc. Je frissonne. Juliette Delgrange aime les décors romantiques, de toute évidence.

Je continue mon exploration, déplaçant mon regard légèrement vers la droite. Je décolle mes mains de la vitre, recule d'un pas.

Je sursaute. Elle est là.

Debout, devant moi.

Elle me regarde. Immobile.

Je sens l'afflux de sang irriguer chaque recoin de mon cerveau. Ma respiration s'accélère. Mes jambes se mettent à trembler.

Son regard… il y a tout dans son regard. La peur, la surprise, l'incrédulité, la mort, la vie. Son bras droit pend le long de son corps, quelques livres sont à terre. Sa main gauche est repliée sur sa poitrine, retenant quelques ouvrages qu'elle s'apprêtait à installer dans sa librairie. Mais quelque chose l'a stoppée net.

En une poignée de secondes, j'affabule, j'imagine la scène, de son point de vue à elle. La boutique va bientôt ouvrir, Juliette doit installer les best-sellers sur la table de l'entrée. Elle avance, remarque le spectacle de cirque, dans la rue. Elle sourit, s'attarde un instant sur ce clown. Et cette passante, de l'autre côté. Au début c'est une impression vague, lointaine. C'est étrange, tout de même. Elle s'approche de la vitre. Observe mieux. Ce qu'elle voit est incompréhensible. C'est elle, mais ce n'est pas elle. Une autre elle-même. Une gêne dans le regard de cette autre, une gaucherie dans ses mouvements, une discrétion confinant à l'effacement. Mais elle lui ressemble tellement, cette femme qui fait semblant d'apprécier sa participation involontaire à ce théâtre de rue, cette femme dont elle ressent l'envie de fuir, de se cacher. D'abord, elle n'y croit pas. Bien sûr, comment y croire ? Mais elle la voit, elle est là. Elle lâche les livres sur le sol, ne s'en aperçoit pas. Elle se met à pleurer en silence, seule dans sa librairie. Sa vie entière, ses souffrances, ses peines remontent dans ses yeux. Elle est plantée là, devant la vitrine, et regarde cette invraisemblable femme reculer, souffler, s'y adosser. Elle attend que l'autre se retourne, qu'elle capte son regard.

Je suis cette autre et je vois tout ça dans ses yeux à elle.

Ses yeux, tellement présents… je ne vois qu'eux. Incrustés au fond d'un même visage blanc constellé des mêmes taches de rousseur, ils me transpercent de leur bleu redoutable. Celui-là même qui me semble si fade sur moi m'apparaît si beau, si acéré sur elle.

Elle n'en finit plus de me regarder. Mon Dieu, ce n'est pas possible. Nos yeux, toujours eux, disent la même chose. Ils ont compris, avant le reste de nos corps.

Je n'entends plus rien du vacarme ambiant. Je ne ressens rien d'autre qu'une immense terreur et une immense joie.

Les larmes coulent en silence le long de ses joues. Je m'approche. Je colle ma main à la vitre. Elle s'approche. Elle colle sa main à la vitre. Je me mets à pleurer, moi aussi. L'instant s'étire, suave, tiède, envoûtant.

Et puis ça se produit, là, comme ça. Elle me sourit. Elle me sourit et pleure en même temps. C'est terrible, c'est beau, incroyablement fort. J'ai beaucoup de mal à respirer correctement mais je m'en moque. Ses lèvres dévoilent ses dents, et ça empire, ça enfle, ça confirme. Ça devient insoute- nable. Ce que je découvre va bien au-delà de tout ce que j'avais pu imaginer. Toutes mes hypothèses deviennent obsolètes. Aucun doute n'est plus per- mis. Je n'avais pas pensé à ça. Je n'avais pas pensé à ses dents. À cette dent. Je ne vois plus que cette petite canine microscopique, presque impercep- tible. Cet attribut unique que j'arbore. Unique, ça veut dire un seul exemplaire. Ça veut dire moi, et moi seule. Pas elle. Et pourtant... Les larmes, jusqu'ici une simple pluie fine, s'abattent sur moi en une vague puissante, qui m'ensevelit.

Juliette se déplace vers la porte d'entrée. Elle veut venir à ma rencontre, mais elle s'arrête. Je sens d'instinct que ça ne va pas. Malgré mes yeux embués, je la vois se tenir sur le rebord du comptoir en bois clair et tousser, longuement. Une toux rauque, déchirante, que je perçois distinctement en dépit de la vitre qui nous sépare. J'ai mal pour elle. J'ai mal pour moi.

Ce que je suis en train de vivre est-il réel ? Malgré mon imagination plus que fertile, jamais je n'avais envisagé cela. Je ne comprends pas, ou plutôt, je mets de côté ce que je comprends trop. Sa réaction à elle m'indique clairement qu'elle non plus ne savait pas, elle non plus n'avait aucune idée de tout ça.

Elle se redresse. Me regarde de nouveau, me sourit et baisse les yeux, dans un mouvement de pudeur. Elle sort des clés de la poche de son jean, ouvre la porte en grand. J'entre dans sa boutique. Religieusement. Je sens mon cœur déchirer ma poitrine. Je m'approche. Bêtement, je lui tends la main – c'est comme ça qu'on se salue quand on ne se connaît pas. Elle éclate de rire, me demande d'attendre une seconde. Je l'observe, ébahie. Ce rire, cette voix. Je les entends lorsque je visionne quelques films de famille réalisés par mon père. Je ne les aime pas, moi qui ne les perçois d'ordinaire que depuis l'intérieur de mon corps. Mais j'en suis certaine. Cette voix, ce rire, ce sont les miens. Je m'appuie contre un meuble. Je suis dévastée. Elle allume les lumières de la boutique et ferme le rideau, comme ça, on sera plus tranquilles, je crois que je ne vais pas ouvrir ce matin, finalement. Qu'est-ce qu'elle est belle.

Nous ne disons rien, mais nos yeux suffisent. Ils rient. Pleurent. Réalisent ce qui est en train de se jouer, là, et qui n'est pas un jeu, et qui veut dire tellement de choses. Chacune de nous sait que la porte qui vient de s'ouvrir va soulever un lot de non-dits, de douleur, d'immondices qu'aucune de nous n'avait jusqu'alors envisagé. Chacune de nous sait aussi que la porte ne pourra plus jamais se refermer.

Nous nous regardons.

Déjà nous sommes un « nous ».

Nous hésitons une dernière fois. Une dernière retenue. Une dernière distance.

Puis elle se jette sur moi, et je me laisse faire.

Puis je la serre dans mes bras, et elle se laisse faire.

Ma sœur. Jumelle.

6

Au commencement

Très vite, Juliette m'emmène chez elle, au-dessus de la librairie. Elle confectionne à la hâte un écriteau indiquant que la boutique sera exceptionnellement fermée ce dimanche 19 juillet 2015. Puis nous passons la journée ensemble. Plus exactement sept heures. Sept heures pour évoquer deux vies, c'est tellement peu. La frustration se mêle à l'excitation, à l'urgence de tout savoir de l'autre. À l'urgence de comprendre.

Ce qui me frappe, c'est l'incroyable intimité que nous acquérons en l'espace de quelques minutes. Nous n'arrêtons pas de nous toucher, comme si ce contact charnel nous était indispensable, comme pour vérifier que l'autre est bien là, bien réelle. Sur le coup, je ne me rends pas compte de la folle proximité physique que je m'autorise avec elle, je ne me rends pas compte de mon absence totale d'inhibition. Moi qui réfléchis à dix fois avant de toucher un inconnu, qui ai toujours peur qu'un miasme me contamine, alors même que je la sais malade et que je n'ai aucune idée de l'éventuelle contagiosité de sa maladie, je ne songe même pas à me protéger. Comme si les liens du sang étaient plus forts que cela. Comme si la toucher était plus important. C'était vrai, ça l'était.

Dès le départ, nous n'avons aucun doute sur notre gémellité. La ressemblance est trop forte. Nous sommes quasiment identiques, jusque dans les moindres détails. Même taille, même poids – à un kilo près, en ma défaveur –, mêmes yeux, même sourire pourtant si particulier, mêmes cheveux – si l'on fait abstraction de ma coloration –, mêmes taches de rousseur, mêmes grains de beauté aux mêmes emplacements, mêmes mains, même voix sans accent chantant, mêmes intonations, mêmes date et lieu de naissance : le 1er janvier 1976, à Paris. Et une telle simultanéité de pensée.

Durant sept courtes heures, il n'y a aucun blanc, la conversation part dans toutes les directions, une idée en amenant une autre, chacune de nous ayant la même ou presque, au même moment. À plusieurs reprises nous éclatons de rire car nous utilisons les mêmes entames de phrase, au mot près. Une stéréo parfaite. Nous sommes des gamines rattrapant le temps, bien trop long, passé l'une sans l'autre. Qu'est-ce que c'est bon.

Je ne suis pas spécialiste ès gémellités, mais j'ai quelques notions. Nous sommes sans aucun doute ce que l'on appelle des jumelles monozygotes, autrement dit au patrimoine génétique strictement identique. Bien entendu, il faudra réaliser un test ADN pour en avoir la confirmation scientifique absolue, mais c'est une telle évidence. Les seules différences entre nous sont celles liées à nos personnalités, nos vies finalement aux antipodes l'une de l'autre, et qui rejaillissent bien évidemment sur l'image que les autres peuvent avoir de nous. Nous n'avons ni le même vocabulaire ni le même style vestimentaire – Juliette est plus sexy, plus sûre d'elle, indiscutablement –, mais dans ce qui relève de la gestuelle, des attitudes, les similitudes sont frappantes. Nous avons toutes les deux une façon de rire strictement identique, sonore, démonstrative. Ce rire est cohérent avec la personnalité de Juliette, beaucoup moins avec la mienne, mais c'est comme ça, il est le même. Nous avons aussi une façon bien à nous de froncer les sourcils en baissant légèrement la tête, lorsque quelque chose nous contrarie. Enfin, nous avons la même façon de pleurer, en ponctuant nos larmes de reniflements particulièrement disgracieux. Entendre ces reniflements chez l'autre dédramatise les situations, nous fait éclater de rire au beau milieu de salves de sanglots.

Alléger pour ne pas sombrer. Ouvrir les vannes sans se noyer, pas maintenant, pas encore. Réfléchir. Comprendre qui savait quoi.

Trente-neuf longues années, putain.

Juliette me parle. Juliette s'essouffle, fait de nombreuses pauses. Je suis suspendue à ses lèvres, mes yeux ne peuvent se détacher de sa bouche, de ses mots. Je bois ses paroles et souffre avec elle lorsqu'elle prend une respiration. Moi aussi, je manque d'air. Ce mimétisme m'effraie. Est-il possible que mon hyperventilation soit, en fin de compte, une répercussion physiologique de la détresse de ma sœur, inconnue jusqu'alors ? Moi d'ordinaire si scientifique, comment puis-je me laisser envahir par ces croyances séculaires en une symétrie fantasmatique du destin des jumeaux ? Et pourquoi pas de la transmission de pensée, tant qu'on y est… Malgré tout, cette étrange connexion de nos souffles me trouble plus que je ne le laisse paraître.

*

Il nous faut un long sas de futilités avant de nous attaquer aux sujets les plus difficiles. Ah bon, toi aussi tu aimes Jean-Jacques Goldman, les brocolis, les films de super-héros américains, Albert Camus,

Nikki de Saint-Phalle, l'Hiver dans les *Quatre Saisons* de Vivaldi, prendre des bains moussants, croquer dans des pâtes crues, Netflix, les tartes au citron meringuées, l'odeur des draps propres, Monica dans *Friends*, le ping-pong, le pain aux noix, le chiffre 4, les mitaines, le mot «troglodyte», dormir sur le côté gauche, être réveillée par le soleil, les Malabar bi-goût, George Clooney, les Pringles au guacamole.

Ce n'est qu'au bout de plusieurs heures que nous nous décidons enfin à aborder nos passés familiaux. Aucune de nous ne veut se lancer la première. Nous tirons au sort, c'est Juliette qui commence.

Je l'écoute me raconter son histoire, doucement, lentement.

— Je crois… je crois que j'ai une vie plutôt banale, tu sais… carrément banale, même. Mais carrément heureuse. J'ai toujours vécu à Avignon, je suis un peu casanière. Je n'en suis partie que quelques années. Je n'ai pas été bien loin, j'ai fait mes études à la fac d'Aix-en-Provence, mais lorsque je me suis retrouvée seule là-bas, j'ai eu l'impression d'être déracinée. J'ai ressenti le besoin de revenir près de mes parents, le plus vite possible. Le syndrome de la fille unique que je suis. Enfin, *que j'étais*, jusqu'à 9 h 56 ce matin.

Juliette tente de me sourire, mais son sourire se

trouble. Car de toute évidence, elle n'a jamais été fille unique, c'est maintenant une certitude. Elle continue :

— Mes parents ont eu du mal à avoir un enfant, ma mère me l'a raconté il y a quelques années, mais j'ai senti que c'était encore douloureux pour elle d'en parler. À l'époque, il n'y avait pas toutes les techniques d'aide à la procréation, alors il fallait être patient, et espérer qu'un jour, peut-être… Quand ma mère est tombée enceinte, elle était si heureuse qu'elle a pris de nombreuses photos : Romane, j'ai vu de mes yeux ces photos de ma mère enceinte. À ma naissance, la joie l'a *foudroyée*, et ne l'a plus quittée depuis. Je ne dis pas ça pour me vanter, ce sont ses mots à elle – elle a parfois un vocabulaire assez spécial…

Je ne peux m'empêcher de remarquer deux choses. La première, c'est que Juliette assène des vérités sur ses parents, en évitant soigneusement de les confronter à la réalité. Je suis certaine qu'elle est consciente que rien n'est plus facile à travestir qu'une photographie, que de vieux clichés jaunis de sa mère enceinte ne valent pas grand-chose, qu'il va nous falloir des éléments bien plus solides. La seconde chose que je note, c'est que Juliette parle de sa mère au présent. Pour moi, c'est un coup de couteau dans le cœur. La mère de Juliette est vivante. Est-elle ma mère ? Ma mère est peut-être vivante, punaise, ma mère est peut-être vivante. *Chasse ces phrases, chasse ces images, Romane. Concentre-toi sur Juliette, le reste viendra plus tard.*

Juliette sent mon trouble, me fixe, intensément. Hésite. Même si ce qu'elle me raconte de sa vie me remue, je veux tout savoir d'elle. Alors je lui souris. Mes yeux l'encouragent à reprendre.

— J'ai grandi dans une famille extrêmement stable. Unie. Mes parents sont toujours ensemble, aujourd'hui. C'est dingue, ils sont de cette minorité de gens qui s'aiment encore après plus de quarante-cinq années de vie commune, et qui n'ont jamais l'air de s'ennuyer. Mes parents sont fidèles en amour, en amitié aussi... ils ont des valeurs, c'est comme ça qu'on dit quand des gens sont un peu *old school*... oui, c'est ça, des valeurs. Mais sans être rétrogrades, hein ! Ce sont de belles personnes, Romane...

Sa gêne est palpable. Dans une famille comme celle-ci, on ne ment pas à son enfant. Ça ne fait pas partie du schéma. La suite de la conversation sera une douleur.

— Romane, je sais ce que tu te dis. Mais je t'assure que mes parents sont incapables de mensonge. Jamais ils ne me mentent, jamais ils ne m'ont menti, j'en suis certaine, ce sont mes parents. D'ailleurs tout le monde me répète depuis toujours que je suis le portrait craché de mon père. Mes origines, je les connais : elles sont ici, à Avignon, avec eux.

Sa voix tremble en disant cela, car toutes ses certitudes viennent de voler en éclats. Je sais qu'elle se protège, comment lui en vouloir ? Je ne veux pas la brusquer, mais je ne peux pas me taire.

— Juliette, tu sais comme moi que tes parents auraient pu te cacher une éventuelle adoption, c'est une possibilité qu'il va falloir envisager. Nous sommes jumelles, punaise ! C'est la seule chose dont nous pouvons être sûres, désormais. Tout le reste…

— Je le connais, le reste ! Ils n'auraient pas pu… C'est impossible Romane. Tu m'entends ? C'est impossible. Je ne peux pas croire que mes parents m'aient menti toutes ces années. Et puis… ça n'est vraiment pas le moment de remuer tout ça…

Elle désigne sa poitrine et se met à pleurer en silence, le souffle court.

*

Je voudrais que Juliette me parle de sa maladie. Elle insiste pour que je lui parle d'abord de ma vie à moi. Je refuse, bien sûr.

— J'ai besoin de savoir ce dont tu souffres, Juliette, je ne peux pas éluder, c'est trop impor-

68

tant. Et puis je suis médecin, je pourrais peut-être t'aider, qui sait ?

— Mon père est médecin lui aussi, mais…

Elle s'arrête net.

— Mais quoi ?

— Mais rien. Je t'expliquerai… après t'avoir parlé de ma maladie.

Je hoche la tête. Juliette reprend :

— Depuis quelques semaines, je m'essouffle, je tousse. Je suis de nature plutôt optimiste, limite insouciante… alors au début, je me suis dit qu'il s'agissait sûrement d'allergies, d'un rhume des foins un peu coriace, ou bien d'un mauvais virus qui passerait bien tôt ou tard. Le genre de petit bobo qui part tout seul, avec un peu de patience. Et puis… et puis ça s'est aggravé. Brutalement. Ces dernières semaines, ma toux est devenue plus rauque, plus intense. J'étais tout le temps fatiguée, j'avais l'impression de devoir me reposer deux fois plus que d'habitude. Alors je me suis prise en main et je suis allée consulter des spécialistes.

Je reste silencieuse. Saisie par la peur. Je sens bien que les coups de poing ne font que commencer.

— Il y a quelques jours, je me suis rendue au service de pneumologie de l'hôpital Nord pour faire le point sur mes résultats d'examens. J'y allais confiante. Certaine d'en ressortir avec quelques jours d'antibiotiques, éventuellement quelques piqûres… Je voyais bien que le médecin tournait autour du pot, qu'il prenait des précautions. Moi, en face, je surjouais l'assurance de la fille qui va bien. Au bout d'un moment, devant mon insistance à nier la gravité de mon cas, il s'est décidé à lâcher un mot. Terrible. Une hypothèse, à ce stade. Mais quelle hypothèse… Il m'a parlé de cancer, Romane.

L'uppercut vient d'arriver.

Je ne dois pas m'effondrer. Je dois être forte. La soutenir.

Je sais ce qu'est un cancer des poumons. Une putain de saloperie contre laquelle des dizaines de milliers de personnes se battent chaque année. Et contre laquelle la plupart perdent. Je connais les statistiques, sinistres, angoissantes. 80 % des malades décèdent en moins de cinq ans.

Juliette continue :

— C'est un comble, pour moi qui n'ai jamais fumé une cigarette de ma vie. Les médecins tâtonnent encore, ils ne sont pas totalement sûrs, et je m'accroche à leurs incertitudes, je dois bien l'avouer… mais ils sont très inquiets. Et je le sens, Romane, je le sens dans ma chair : ce qui me ronge n'est pas anodin… j'ai l'impression d'assister, impuissante, à la destruction de mon corps, cellule par cellule. À une vitesse vertigineuse.

Juliette pleure en silence. Elle fait une pause

dans son récit. Je serre ses mains. J'aimerais pouvoir la rassurer, mais je ne peux m'empêcher de pleurer, moi aussi.

— Romane, il faut que je te dise…

Sa solennité, ses pauses amplifient mon inquiétude.

— Mon père est médecin, oui… mais il n'est au courant de rien. En fait, personne n'est au courant. J'ai caché ma maladie à toute ma famille. Je n'ai pas trouvé le courage de leur parler. Un cancer, c'est déjà intolérable pour la personne qui en est atteinte. Mais pour les autres… Je ne peux pas, c'est impossible. Je ne veux pas les faire souffrir, je veux les protéger, coûte que coûte.

Silence. Toux. Trop longue.

— J'ai tellement reçu, Romane, tellement reçu d'amour, de joies… Et voilà que cette putain de maladie me place dans cette position si cruelle… la position de celle qui reprend tout. Le bonheur, la lumière, la vie. Comment accepter un tel rôle ? Comment accepter d'annoncer mon potentiel décès à mes parents, à mes amis ? Et surtout… à ma propre fille ?

Deuxième uppercut. Je vacille.

Juliette a une fille.

Elle a cinq ans et s'appelle Marie. Le prénom de ma propre mère. Un prénom extrêmement courant bien sûr, mais tout de même, son irruption dans la conversation est un choc. Un de plus. Juliette me montre des photos de sa fille, ma nièce, et je fonds en larmes. L'espace d'un instant, je crois me voir enfant.

— Romane, tant que l'issue n'est pas sûre, j'ai décidé de me battre en secret, à l'abri des regards. Je sais que quelque chose mourrait en Marie, si je venais à disparaître. C'est comme ça, on n'y peut rien. Je crois... je crois qu'on ne se remet jamais vraiment de la mort de sa mère.

Je ne peux pas lui donner tort. Je le sais, plus que tout autre.

Face à la maladie et la mort, chacun se débrouille comme il peut.

Juliette a opté pour le silence.

C'est son choix, je dois le respecter. Même si je ne suis pas d'accord.

Ma vie, mes problèmes me semblent tout à coup tellement dérisoires face aux siens. Je sais tout ça et je me punis intérieurement de ne pas parvenir à me contrôler, mais je n'y peux rien, je dois sortir mon petit sac pour respirer.

Je suis décidément une piètre boxeuse, dépassée par la violence du ring sur lequel elle vient de monter.

7

Noyées

Juliette me presse ensuite pour que je prenne la parole, elle aussi veut tout savoir de moi.

Je me rends compte, en déroulant mon récit, que ma vie entière n'est peut-être qu'une immense imposture. Car Juliette est ma sœur jumelle, sans le moindre doute dans nos esprits. Un mot revient sans cesse, tissant sa toile au milieu des décombres de nos neurones. Un mot qui ne nous quittera plus jamais, nous le savons. Pour l'instant, Juliette refuse de connecter ce mot à ses parents. Pour l'instant, je refuse de connecter ce mot à mon père. Il va pourtant bien falloir le relier, ce mot flottant qui tranche nos veines et unit nos sangs.

Mensonge.

Nos vies sont-elles des chimères ? Tout ce que

nous savions a été balayé en un instant. Nos vies d'avant n'existent plus.

Juliette et moi passons une bonne heure à tenter de démêler les fils de nos origines. Quels sont les scénarios possibles ? La tâche nous semble démesurée, les conséquences délétères. Mais nous devons comprendre. Affronter. Peu à peu, nous entrebâillons la porte, laissons entrer l'obscurité dans nos vies. Avant que nous allions plus loin, Juliette me prend par les mains.

— Romane… je n'aurai pas la force, il faut que tu le saches. Je n'aurai pas la force d'enquêter, pas la force de parler à mes parents. Pas maintenant. Il va falloir faire sans. Je suis désolée…

Elle se remet à pleurer. Je la prends dans mes bras et nous restons quelques instants comme cela. Je caresse ses cheveux et pleure avec elle. J'ai le sentiment que quoi qu'elle me dise, je ne lui en voudrais pas. Nous n'avons plus de temps pour ça. Les rivalités, les chamailleries, tout ce qui construit une fratrie, nous en avons été privées. Je ne sais pas ce que c'est que l'amour entre sœurs, mais j'ai l'intuition que ça commence par cela. Être présente. Écouter. Apaiser. Régénérer l'autre, relever sa tête, puiser dans ses yeux l'énergie pour avancer.

— Je comprends, Juliette. Maintenant… maintenant nous sommes deux. Je t'aiderai, autant que je le pourrai… Ma sœur.

Pourquoi ai-je ajouté ces deux derniers mots, tellement abstraits ? Peut-être pour les ancrer dans ma nouvelle réalité. Juliette sourit. Elle me remercie, et j'aperçois une lueur nouvelle dans son regard, un reflet ténu, un recoin sombre qui soudain s'éclaire. Les vannes s'ouvrent. Nous acceptons d'être ensevelies. De nous noyer dans le passé, ensemble.

Au début la discussion est difficile. Il s'agit de nos vies. Les protagonistes sont nos parents, nous ne pouvons pas supprimer tout affect. Nous pataugeons dans une boue noirâtre dont nous ne percevons que les contours. Ce qui se dissimule à l'intérieur nous est invisible. Alors nous pleurons beaucoup, mais nous avançons, pas à pas.

Nous n'avons pas le choix. Nous devons savoir.

Juliette et moi tirons ensemble le fil de quatre grandes pistes. Chacune d'elles contenant une dose bien trop importante d'inadmissible.

La première, c'est que nous soyons l'une de ces paires de jumeaux volontairement séparés à la naissance par une institution. Dans ce scénario, notre mère naturelle ne serait aucune de nos deux mères, aurait accouché sous X, et l'établissement nous ayant recueillies aurait pris la décision de nous séparer afin de nous rendre plus facilement adoptables. Ou, pire encore, serait-il possible que nous ayons été un sujet d'étude scientifique ? J'ai déjà entendu ce genre d'histoire incroyable et pourtant vraie. Les jumeaux sont un terrain d'étude idéal, en théorie, pour évaluer l'acquis et l'inné dans le développement d'un individu : qu'est-ce qui relève de nos gènes, dans la construction de soi, dans le développement psychologique et physique ? Quel rôle joue l'environnement socioculturel dans lequel nous grandissons, l'éducation que nous recevons ? Quoi de mieux que deux individus au patrimoine génétique strictement identique, plongés dans des milieux totalement différents, et dont on étudierait les divergences, les ressemblances ? Ce genre d'expérience pose d'énormes questions d'éthique et est illégale bien sûr. Mais cela a existé aux États-Unis il y a quelques dizaines d'années, c'est un fait avéré. Alors pourquoi pas en France...

Mon Dieu, tout cela est atroce.

Mon père a toujours lourdement insisté sur ma ressemblance avec ma mère, de manière pathologique, étouffante, sclérosante pour moi qui avais l'impression de ne pas avoir le droit de m'en écarter. À une époque de ma vie, mon père avait poussé le sens du détail jusqu'à me coiffer de la même manière que ma mère. Je m'en étais rendu compte lors de l'une des séances de contemplation qu'il m'imposait étant enfant. Le premier jour de chaque mois, mon père mettait un 33 tours de la *musique préférée* de ma mère, buvait un verre – une bouteille – du *vin préféré* de ma mère, m'habillait de sa *couleur préférée*, me coiffait de sa *coiffure préférée* – une sorte de choucroute que j'ai toujours détestée et que j'ai transformée en un sage dégradé dès l'âge de quinze ans –, et nous regardions en pleurant un album photo qui m'ennuyait au plus haut point et lui déchirait le cœur, tant je ressemblais à ma mère, d'après lui. Et c'est vrai que je lui ressemble. Mais tellement de gens dans le monde se ressemblent. Même dans les films, tout le monde trouve totalement crédible que deux acteurs n'ayant aucun lien de parenté soient frère et sœur. Si on veut trouver des ressemblances, ou bien les accentuer, c'est bien plus facile qu'on ne le pense.

Dans le deuxième scénario, l'une de nos familles est la naturelle. Dans ce cas, laquelle des deux ? Et pourquoi avoir abandonné l'une de nous ? Chacun de nos parents, pris individuellement, nous semble sain d'esprit, incapable d'une telle abomination. Oui, mais désormais tout doit être considéré, car une chose est sûre : rien de tout cela n'est normal.

Le troisième scénario que Juliette et moi envisageons – le plus immoral selon nous, si tant est que l'on puisse établir un classement de moralité dans tout ce désastre… –, c'est le trafic d'enfants. Aurions-nous pu être volées à notre mère naturelle ? Peut-être était-elle une jeune femme perdue, ayant accouché dans des circonstances troubles, et à laquelle ses filles auraient été enlevées pour être projetées dans des circuits d'adoption parallèles ? Les parents en mal d'enfant sont prêts à fermer les yeux sur beaucoup de zones d'ombre concernant l'origine réelle d'un bébé tellement attendu, tellement désiré. Ou bien… étant donné qu'à l'époque la plupart des pères n'assistaient pas à l'accouchement, le vol aurait-il pu avoir lieu à l'insu de nos parents ? L'une de nos deux mères – laquelle ? – aurait accouché de jumelles alors qu'elle n'attendait qu'un seul enfant, et le corps médical présent, corrompu jusqu'à la racine, aurait subtilisé le deuxième enfant… L'évocation du corps médical fait frémir Juliette, plus encore que moi. Son père est médecin. Lorsque Juliette est née, il exerçait à Paris. Aurait-il pu être impliqué dans une telle affaire ? Juliette ne dit rien, mais chacune de nous l'a formulé dans sa tête, j'en suis certaine.

Dans le quatrième et dernier scénario, le plus saugrenu mais finalement l'un des moins crapuleux, nos vrais parents seraient ceux auxquels nous ressemblons le plus. À savoir ma propre mère, et le père de Juliette. Se pourrait-il que ces deux-là se soient aimés, puis séparés, emportant chacun l'une de leurs filles ? Comment auraient-ils pu réaliser une telle chose ? Comment nos deux autres parents

78

seraient-ils entrés dans leurs vies, à quel moment, et pourquoi ?

Y a-t-il d'autres scénarios possibles ? Certainement. Mais à ce stade de nos réflexions, c'est déjà beaucoup. Trop. Jamais je n'aurais cru pouvoir envisager de telles horreurs. Tout ceci est un cauchemar. Un cataclysme d'une étrangeté totale, puisqu'il s'accompagne aussi de véritables secousses d'euphorie, je ne peux pas le nier : malgré la noirceur de tout ce dont nous parlons, Juliette et moi ressentons ce profond bonheur de nous être enfin trouvées, nous qui n'avions aucune idée de tout cela il y a quelques heures seulement.

Je suis totalement perdue. Je ne sais plus quoi penser.

Dans tous les cas, une chose est désormais certaine.

Je dois parler à mon père.

Au plus vite.

8

Le bon vieux temps

En fin d'après-midi, Juliette m'accompagne jusqu'à la gare d'Avignon. Je saute dans le TGV de 17 h 41 en direction de Paris. Je n'en finis plus de prendre des trains. Pour une phobique comme moi, cela relève du masochisme. Finalement, je me surprends à baisser la garde, à me laisser bercer. Il faut dire que j'ai bien d'autres raisons de stresser, le train c'est du velours à côté du salmigondis que devient ma vie…

*

Sur le coup de 21 heures, je sonne chez mon père. Je ne suis pas sûre d'en être capable, mais je dois lui faire face. Je n'ai pas le choix. J'ai décidé d'aborder le sujet frontalement, sans préavis ni avertissement.

Je connais mon père, je connais ses réactions.

Je lirai entre les lignes, décoderai les rictus.

Je ne sais pas à quoi je m'attendais. J'imaginais naïvement qu'en découvrant ce que j'avais appris, mon père allait éclater en sanglots, tout avouer sur-le-champ. Avouer quoi, je ne savais pas bien, mais il y avait nécessairement quelque chose. Et s'il n'y avait rien à avouer, alors il serait ébranlé. Effrayé des conséquences pour moi, pour nous. Empathique. Protecteur. Un bon père de famille.

Je lui parle de Juliette, lui montre des photos d'elle et moi, ensemble.

Il ne bronche pas. Reste calme. Tourne l'affaire en dérision.

— Ma princesse, je me demande bien où tu vas chercher tout ça... tu as toujours eu beaucoup d'imagination, mais là... Est-ce que tu vas bien ? Je m'inquiète pour toi, tu sais... pour ta santé... j'ai l'impression que tu as maigri depuis que tu es partie de la maison... peut-être que tu devrais venir me voir plus souvent...

Je connais mon père par cœur. Je vois la gêne dans son regard fuyant, le léger tremblement de sa lèvre supérieure, malgré l'assurance factice qu'il affiche.

Sa réaction en forme d'esquive n'est pas la bonne. Elle n'est *pas normale.*

Dès cet instant, j'acquiers la certitude absolue que mon père me ment.

La discussion tourne court. Je m'assieds sur le canapé du salon, je baisse la tête, et les larmes affluent. Je ne maîtrise plus rien.

Lui maîtrise tout. Il maîtrise depuis trente-neuf ans. J'aurais dû me douter qu'il ne s'effondrerait pas. Il s'approche, pose une main sur mon dos recourbé.

— Ma chérie, ne pleure pas s'il te plaît, ça me fait mal de te voir comme ça… Tu devrais rester ici, avec moi. Je m'occuperais de toi, comme au bon vieux temps.

Cette expression, associée à son calme, à son sourire de premier communiant, tout cela me rend hystérique. Je me relève d'un bond. Deviens odieuse.

— Il n'y a jamais eu de bon vieux temps, papa ! Le bon vieux temps n'existe pas. Il n'y a eu que du mensonge, du toc, depuis toujours. Tu mens, papa ! Je ne sais pas ce que tu as à te reprocher, mais tu mens !

— Romane, je t'interdis de me parler de cette façon. Je suis ton père, point à la ligne. Je ne sais pas ce qui t'a mis des idées pareilles dans la tête

mais je peux te jurer sur la tombe de ta défunte
mère que je suis ton père, nom de Dieu !

Puis il me joue le refrain du « après tout ce que
j'ai fait pour toi, comment oses-tu ? ». Mais déjà je
n'écoute plus. Je suis ailleurs.

Que me cache-t-il ?

Il me demande quelques minutes. Il va me montrer, puisque nous en sommes là. Il revient. Étran-
gement vite à mon avis. Comme si les preuves
attendaient depuis longtemps, prêtes à bondir.
Comme s'il avait anticipé l'attaque de longue date.
Je comprends qu'il ne lâchera rien. Il me tend des
papiers. Un extrait d'acte de naissance. Un compte
rendu médical au nom de ma mère, mentionnant
une grossesse simple. Tout semble authentique,
mais comment savoir ? Un papier, c'est si facile à
falsifier. Et puis, il a été bien trop rapide. Si on me
demandait de retrouver ma déclaration d'impôt
de l'an dernier, ça me prendrait plus de cinq
minutes… alors un compte rendu d'hôpital datant
de 1976…

Je suis sûre que tout est faux.

— Tu mens, papa ! Tu demandes comment j'ose
te parler comme ça ? Mais toi, comment oses-tu
me regarder ? Comment oses-tu ? Je te raconte que
j'ai une sœur jumelle et tu agis comme si j'étais
folle ! Dis-moi la vérité ! Est-ce que tu crois que
maman serait heureuse de nous voir comme ça

aujourd'hui ? Est-ce que tu penses qu'elle serait fière de toi ?

Je m'arrête net. Je retiens mon souffle car soudain je lis dans les yeux de mon père quelque chose que je n'y ai jamais vu. Une forme de violence.

C'est à ce moment que je perds le contrôle et qu'il le reprend. Ou bien l'inverse, je ne sais pas. Mon père me gifle.

C'est la première fois de ma vie qu'il lève la main sur moi. Décidément. Je croyais connaître mon père, mais je me rends compte que je ne sais rien de lui, de l'homme qu'il a été. Mon père ne m'a jamais rien raconté de sa vie *d'avant moi*, à part sa vie avec ma mère, sûrement enjolivée par la puissance du souvenir – ou le mensonge. Cette évidence me saute au visage, littéralement. Je porte la main à ma joue, reste immobile un instant, choquée.

Je sens gronder en moi une colère sourde, mâtinée de tristesse et de peur. Quelque chose de fondamental vient de se briser, là, dans l'appartement de mon enfance. Je n'ai plus confiance en mon père.

Je me remets à pleurer, mais en réalité je gagne du temps. Mon cerveau tourne à plein régime. Certains éléments sont forcément faux dans le récit de mon père. Lesquels, je ne sais pas. Mais il ne semble pas décidé à coopérer.

Je me dirige vers la salle de bains. Il me suit. Je m'enferme à clé, continue de renifler, me passe de l'eau sur le visage en lui hurlant de me laisser tranquille. À travers la porte, il s'excuse. Une dizaine de fois. Il ne sait pas ce qui lui a pris de me gifler, il s'en veut tellement. Il se met à pleurer, lui aussi. Mais il maintient sa version des faits. Il est mon père. Il m'aime.

— Cette fille te ressemble, je ne peux pas dire le contraire. Mais il y a sept milliards d'individus sur Terre… sept milliards, Romane ! Les ressemblances existent, en ce bas monde. Tu es la seule, ma fille unique, ma fille adorée. Je t'aime, Romane, je t'aime tellement. Si tu as besoin de discuter, je suis là. Je serai toujours là pour toi, ma princesse.

Pendant qu'il me parle, je récupère des cheveux sur son éternelle brosse. Certains ont toujours leurs bulbes. Parfait. Je n'ai pas droit à l'erreur, il me faut un autre échantillon. Je saisis un coupe-ongles, avec lequel je sectionne quelques poils de sa brosse à dents. Cette scène de prélèvement aussi méticuleux qu'invisible est digne d'un mauvais épisode des *Experts*, c'est l'impression saugrenue qui me passe par la tête, au beau milieu de ce marasme.

Je sors en trombe de la salle de bains puis je

m'échappe de l'appartement, ignore les cris de mon père, ses appels, ses SMS.

*

Je passe chez moi, constitue une valise en un temps record – dix petites minutes, je n'ai jamais été aussi rapide. Je décide de passer la nuit dans un hôtel près de la gare de Lyon, afin de ne pas subir l'intrusion de mon père chez moi. Je sais qu'il possède un double de mes clés, je n'ai aucune envie de l'écouter me convaincre de la véracité de ses mensonges.

Au fond de moi, une petite voix me crie toujours qu'il me dit peut-être la vérité. Qu'il n'est pas au courant de l'existence de Juliette, qu'il est mon père. Est-ce possible ? Son comportement de ce soir m'indique le contraire. Ou du moins indique autre chose. Il avait l'air tellement préparé. Tout sonnait tellement faux. S'il n'avait rien su, il aurait – comme moi – cherché à comprendre, plutôt que de sortir du chapeau quelques documents officiels.

En plein cœur de la nuit, j'identifie en trois clics – internet est une mine d'or – plusieurs entreprises situées en Espagne, en Belgique, aux États-Unis, proposant un service rapide, fiable, de qualité. Je décide d'aller au plus court, choisis la Belgique, et poste au petit matin une enveloppe contenant un ensemble de cheveux et poils de brosse à dents appartenant à Juliette, mon père et moi. L'idéal aurait été d'y inclure des prélèvements des parents de Juliette, mais elle n'avait rien sous la main. Et je ne veux pas attendre. Je dois savoir. Je pourrai consulter les résultats en ligne d'ici quatre à six jours.

Si mon père ne parle pas, son ADN parlera pour lui.

9

Le pacte

Je crois que j'ai aimé Juliette dès le premier instant.

Cela s'appelle un coup de foudre. Je n'ai jamais ressenti ça pour personne. À ma décharge, je ne me suis jamais retrouvée face à une sœur jumelle, auparavant…

J'accepte donc sans lutter cet amour bouleversant d'immédiateté, inexplicable, animal. Je me dis que désormais chaque seconde compte. Je ne peux pas me payer le luxe de ne pas l'aimer tout de suite, sans condition. Elle éprouve la même chose pour moi. Je l'ai senti, elle me l'a dit, je la crois. Une confiance évidente, naturelle, s'est installée entre nous.

La veille à Avignon, quelques minutes avant

mon départ pour Paris, Juliette m'a demandé quelque chose.

Bien plus qu'un service.

*

— Tu sais, Romane, je pense que notre rencontre, aujourd'hui, à ce moment de ma vie… c'est un signe du destin.

— Tu veux dire… comme une force inexplicable venue des confins de l'univers ?

Je lui fais mon plus grand sourire. Elle lève les yeux au ciel.

— Ne ris pas, je ne suis pas folle !

— Je ne ris pas, Juliette, je souris… parce que je ne crois pas à toutes ces salades de signaux que nous enverraient des entités cosmiques… d'ailleurs ils auraient pu arriver un peu avant ces signaux, tu ne crois pas ?

— Que tu le veuilles ou non, tu débarques dans ma vie à l'instant même où j'avais besoin d'un miracle.

— Je ne suis pas sûre de te suivre…

— Romane, *tu* es mon miracle ! Aaah, tu ne t'y attendais pas à celle-là, on ne te l'avait jamais faite, hein ?

Elle rit. Elle rit, et j'en ressens les vibrations. Elle a raison, il y a du surnaturel là-dedans.

— Romane, j'ai besoin de toi. Je suis sérieuse. J'ai besoin de toi, et je sais que tu vas m'aider. Tu arrives au bon moment, ou au mauvais, peu importe. Tu entres dans ma vie par une porte dérobée… et ça change toutes mes perspectives.

— Juliette, s'il te plaît viens-en aux faits…

— Grâce à toi, Romane, je vais pouvoir continuer à dissimuler ma maladie. Tu vas m'aider à préserver mon secret. À préserver ma fille. Et peut-être… pourquoi pas… les préserver toujours.

Des feux rouges s'allument dans ma tête. J'ai un mouvement physique de recul. Elle s'en aperçoit.

— Je sais, ça semble une folie, dit comme ça, et c'en est une… Romane, es-tu heureuse dans ta vie ? J'ai eu l'impression… je ne sais pas, j'ai eu l'impression que…

— … que je n'étais pas heureuse. Tu as raison, je ne le suis pas. Ma vie était déjà faite de grands vides. Et depuis quelques heures, les cavités sont abyssales.

— J'adore ta façon de parler, Romane… *so chic*. Pardon, je sais, ça n'est pas le moment de me moquer…

Elle rit de nouveau, puis tousse, longuement. J'aimerais l'avoir sous la main, là, tout de suite, cette entité cosmique qui l'étouffe.

Après quelques instants, Juliette reprend.

Je tremble déjà, car j'ai compris. J'ai compris

pourquoi elle noie le poisson, plaisante, se perd en circonvolutions rhétoriques.

— Romane, ma vie à moi est belle. Elle est faite de joie, de rires, de bonheur. Je ne veux pas tout détruire, je ne veux pas démolir les gens que j'aime. Ils ne le méritent pas.

Juliette serre ma main droite entre les deux siennes, comme pour s'assurer que je ne m'échapperai pas après ce qu'elle s'apprête à me dire.

— C'est là que tu interviens, Romane. Je sais ce que tu vas répondre, alors laisse-moi parler s'il te plaît, et ensuite réfléchis. Ne réagis pas tout de suite. D'accord ?

— D'accord.

— Promis ?

— Promis. Croix de bois, croix de fer.

Un temps. Une éternité.

— Romane... Le pacte que je te propose, c'est... une idée folle, difficile à exécuter. Impossible, en théorie. Sauf que depuis quelques heures, tu constates comme moi que plus rien n'est impossible. Romane... je voudrais que tu prennes ma place dans ma vie, si je devais mourir. Afin d'éviter à ma famille, à mes amis... et à ma fille... ta nièce... les souffrances d'un tel deuil. Ça n'est pas normal de mourir à mon âge. Personne ne s'y attend. Ce serait un tel choc... Je veux que tout continue comme avant, comme aujourd'hui.

Romane, je suis certaine que tu serais heureuse dans ma vie.

J'encaisse. Ne dis rien. Baisse les yeux. Juliette est tellement folle de ces gens dont elle parle avec passion et amour que c'en est effrayant. Je ne crois pas avoir déjà ressenti un tel besoin viscéral de m'assurer du bonheur de quelqu'un. Pas même de mon père. Laquelle de nous deux est la plus folle ? Juliette est en tout cas la plus vivante.

— Juliette, c'est hors de question. Tu ne peux tout de même pas considérer *sérieusement* que je prenne ta place... si ?

Elle acquiesce en silence.

— C'est non, trois fois non. Je crois que la douleur de l'annonce de ta maladie te fait perdre le sens des réalités. Tu vas vivre, bon sang ! Je suis là et je te soutiendrai. Mais tu ne peux pas me demander l'impensable.

— Je savais que tu réagirais comme ça, c'est normal, je ne m'attendais pas à ce que tu sautes de joie en criant « génial, oui bien sûr, va mourir dans ton coin et laisse-moi prendre mes marques maintenant »... Je dois dire que ta réaction est plutôt rassurante. Romane, promets-moi d'y réfléchir.

— J'ai déjà promis, Juliette.

— Croix de bois croix de fer ?

— Croix de bois croix de fer.

— En attendant… j'ai une *immense* faveur à te demander.

— Je ne vois pas bien comment cette faveur pourrait être plus *immense* que celle dont nous venons de discuter…

— OK, j'ai utilisé le mot « immense » pour que justement tu te dises que celle-ci est bien plus accessible. Et pour que tu dises oui sans hésiter. C'est une stratégie de vente : tu annonces que quelque chose va coûter extrêmement cher, comme ça lorsque tu donnes ton prix – pas si cher que ça – la personne en face est soulagée et achète tout de suite ! On ne vous apprend pas ça en école de médecine, je sais…

Sourire. Minauderies. Je fonds, c'est l'effet voulu.

— Je t'écoute, Juliette.

— Je voudrais… j'aimerais, s'il te plaît, que… tu prennes ma place pendant quelques jours. Juste cette semaine. Je ne veux pas affoler ma famille inutilement tant que le diagnostic n'est pas écrit noir sur blanc. Je dois retourner à Marseille dès mardi pour faire de nouveaux examens. Pour comprendre ce qu'il se passe dans mon corps, une bonne fois pour toutes. Je t'en prie, Romane. S'il te plaît. Aide-moi.

Je refuse, encore une fois, mais je lui promets, de nouveau, de réfléchir.

*

C'est ce que je fais, au cours de la nuit.

Aussi dément soit-il, on ne peut pas prendre à la légère un tel appel à l'aide. Une telle détresse, provenant d'une sœur inconnue jusqu'alors, mais pourtant tellement attachante. Alors, dans cet hôtel près de la gare de Lyon, j'ai considéré sa proposition. Pas seulement celle des quelques jours. L'autre aussi, la définitive.

Est-ce que je perds la raison ?

Est-ce que changer de vie serait vraiment une grande perte ? Après tout, que vaut mon existence actuelle ? Ce qui m'a maintenue en vie jusque-là, c'est le bonheur de mon père. Il m'a fallu un électrochoc pour comprendre que vivre seulement pour son père, ce n'est pas vraiment vivre.

Dire oui à Juliette, ce serait renoncer à ma vie à moi.

Renoncer à ma vie professionnelle ne serait pas si difficile. J'aime soigner mais je ne suis pas de ces acharnés qui ne pourraient jamais considérer autre chose dans leur vie que la médecine. Après tout, quelques belles trouvailles dans une librairie peuvent parfois faire autant de bien que plusieurs séances chez un psychiatre.

Renoncer à mes amis non plus. Je me rends compte, en le formulant dans ma tête, de la tristesse absolue de ce constat. À part ma copine Melissa – avec laquelle je pourrais peut-être garder contact ? –, personne ne me manquerait vraiment.

Personne à part mon père. Le plus dur serait de renoncer à le voir, lui. Après ce qu'il vient de se passer, m'éloigner pourrait sembler plus accessible, puisque je ne suis même plus certaine qu'il soit mon père biologique. Mais quoi qu'il ait pu faire, il restera mon père. Je l'aimerai toujours. Si je devais un jour accepter ce pacte définitif avec Juliette, je ne lui laisserais simplement pas le choix. Je lui expliquerais et ce serait à prendre ou à laisser, voilà tout. J'en sais désormais suffisamment pour penser qu'il ne serait pas en position de refuser. Quelles que soient les explications, j'ai l'intime conviction qu'il a menti et préservé un mensonge durant trente-neuf années. Il voudra le préserver encore. Et pour cela il devra accepter mes conditions.

Je vois bien, en poursuivant ma réflexion, que l'idée insensée de Juliette est en train de prendre une forme de réalité palpable. Que le conditionnel se mue en futur. Comme si j'acceptais déjà d'embrasser la vie de cette sœur, plus encore que la mienne.

Romane, ressaisis-toi. Qu'est-ce que tu racontes, punaise ?

Je secoue la tête, afin de chasser cette absurdité dérangeante. Prendre la place de Juliette pour le reste de ma vie n'est pas à l'ordre du jour. Ne le sera jamais. Juliette vivra. En revanche, je peux l'aider. Après la confrontation douloureuse avec mon père, je me dis que Juliette est maintenant la seule famille dont je puisse être sûre. Que prendre sa place quelques jours est bien la moindre des choses.

Alors je décide d'accepter. De jouer le jeu, une petite semaine.

J'accepte afin qu'elle puisse retourner à Marseille pour subir de nouveaux examens sans éveiller les soupçons de ses proches. Je vais tenter de protéger ses silences, lui offrir un peu de temps. Je prends cet engagement mais je serai extrêmement claire : je ne peux rien garantir. Il s'agit tout de même de me faire passer pour elle auprès de ceux qui la connaissent le mieux…

La situation est totalement surréaliste.

Au-delà de ces quelques jours, chacune reprendra sa place, et Juliette devra trouver la force de parler aux siens. Elle leur parlera et je la soutiendrai. Je ne la lâcherai pas. J'ai bien compris que, quelles que puissent être les conclusions concernant nos origines, pour Juliette, ses parents resteront ses parents. Elle a bien d'autres préoccupations en ce moment que de remettre en question une famille qui l'aime et qu'elle aime.

À 6 h 07 ce lundi 20 juillet 2015, je monte dans un TGV, direction Avignon.

Tout juste assise dans le train, je dis oui à Juliette. Je scelle nos destins, d'un simple SMS. Et reçois une réponse d'une simplicité déchirante : « Merci. »

À l'instant même où je lis ces cinq lettres, je sens l'angoisse me gagner et dois sortir un petit sac en papier en urgence.

Punaise punaise punaise punaise. Qu'est-ce que je viens de faire ? C'est de la folie pure. Ça ne tiendra pas une journée. C'est trop gros, trop impensable. Et pourtant j'ai accepté. Je pourrais faire semblant de me demander pourquoi, mais la réponse est là, limpide : parce que j'en ai effroyablement envie.

Aider ma sœur est la raison principale pour laquelle j'accepte, bien sûr. Mais je ne peux pas me mentir, ce n'est pas la seule.

La réalité, c'est que je ressens le besoin fou de rencontrer les parents de Juliette. Il faut que je les voie de mes yeux. Je veux les connaître car ils sont peut-être les miens. Au fond de moi, depuis hier, une toute petite voix s'agite, me souffle que ma mère biologique est peut-être en vie, qu'elle est peut-être celle de Juliette. C'est un tel chamboulement. Une telle révolution. Je me mords la lèvre, me punissant de ce que je perçois dans l'instant comme un manque de loyauté envers mon père. Lui qui a tant fait pour moi, et qui me l'a si malhabilement rappelé hier. Lui que j'aime, du plus profond de mon âme. Mais je dois me raisonner. Car la recherche de la vérité n'empêche pas l'amour. Je sais d'avance que je serais incapable de le détester, quoi qu'il ait pu faire. Mais si en plus, j'avais une mère vivante…

Juste avant mon départ, dimanche en fin d'après-midi, Juliette avait installé sur sa porte un écriteau indiquant une fermeture jusqu'au lundi soir inclus. Elle était persuadée que je dirais oui.

Lundi. Aujourd'hui. Une petite journée. Il va bien nous falloir ça pour me transformer en Juliette. Je vais devoir apprendre à être elle. Apprendre la librairie, la vie quotidienne. Apprendre ses mouvements, ses expressions favorites, apprendre à lui ressembler, à l'imiter. Du moins à faire illusion.

Respire Romane, tout va bien se passer. Fais-toi confiance, pour une fois. Si tu ne te fais pas confiance, fais confiance à Juliette. Elle est convaincue que tu vas y arriver, alors pourquoi pas toi?

J'ai hâte. J'ai peur. Je suis excitée. Je suis terrifiée.

Je ressens, au plus profond de moi, à quel point la décision que j'ai prise est juste. Peut-être suis-je inconsciente. Mais pour la première fois depuis des lustres, je sens que je fais quelque chose de bien.

Que je suis importante pour quelqu'un d'autre que mon père.

Je crois que ça me rend heureuse.

Dans le train qui me ramène vers Avignon, malgré les pensées qui m'agitent, me bouleversent, je tombe dans un curieux sommeil.

Profond comme le lac dans lequel je viens de me jeter, les yeux grands ouverts.

Ce jour-là

Nous sommes le 1ᵉʳ janvier 1976, au petit matin.
J'ouvre les yeux dans un sursaut. Je suis en sueur.
Haletant. Je n'ai aucun souvenir du rêve qui a pro-
voqué cette moiteur désagréable, mais mon estomac
est noué. Une certitude incongrue a fait son nid au
creux de mon abdomen : quelque chose d'inhabituel
va se passer au cours de cette journée. Je constate que
le réveil ne fonctionne pas. Je consulte ma montre,
il est 6 h 38. Normalement, la sonnerie retentit
douze minutes plus tard. M'éveiller spontanément
en avance me laisse un goût âpre dans la bouche. Un
goût d'inachevé qui ne me quittera plus. Satanées
coupures de courant. Nous sommes en plein Paris et
des milliers de foyers sont privés d'électricité et de
téléphone, depuis quelques jours.

Je me lève, remonte le volet mécanique et reste

un moment à observer le ballet des agents de propreté. Le ciel est chargé, la ville est enveloppée d'une couche de brume aussi épaisse que la neige, qui a désormais tout recouvert. D'ordinaire, la période des fêtes plonge la ville dans une joyeuse effervescence consumériste, mais cette année est particulière. L'atmosphère veloutée feutre les sons, atténue les exubérances. Empêche les voitures de circuler. Paris n'est pas équipée, Paris ne sait pas faire face à ce genre d'intempéries. Paris somnole. De nouvelles pannes ont été annoncées pour ce jour férié. Il va falloir prendre son mal en patience, les techniciens font ce qu'ils peuvent mais les chutes de neige de ces dernières heures ne facilitent pas leur action. Les directions d'EDF et de France Télécom souhaitent une bonne année à tous les Parisiens, malgré tout.

Je n'ai aucune envie de sortir. Encore moins d'aller travailler. Entre comas éthyliques, hydrocutions, accidents de la route et autres conséquences des traditionnelles conduites à risque d'une Saint-Sylvestre, je sais que la journée sera dure à l'hôpital. Je ne sais pas qu'elle le sera bien plus au-dehors.

Ta mère dort encore, j'entends sa respiration régulière, qui soulève les couvertures épaisses. Cette année, le réveillon a eu une saveur étrange. Nous l'avons passé en tête à tête, à la maison. Cela nous convenait parfaitement. Je suis de garde pour le jour de l'An. Je n'ai pas pu me libérer, elle le sait, aussi

102

a-t-elle décrété que nous passerions notre dernière soirée de notre dernière année à deux... rien que tous les deux. Nous ne savions pas alors que nous devrions nous contenter d'un repas sommaire, enroulés dans des plaids pour tenir à distance la morsure du froid qui pénétrerait notre appartement.

Au final, cette soirée à la lueur des chandelles a été magique. Nous l'avons passée blottis l'un contre l'autre, tout en imaginant notre bonheur à venir.

— Dans moins de cinq semaines, nous serons trois. Elle sera là, à nos côtés. Tu te rends compte ? Est-ce qu'elle sera en bonne santé ? À quoi ressemblera-t-elle ? Quelle sera la forme de son nez ? De quelle couleur seront ses yeux ?

Cela paraît incroyable aujourd'hui, mais nous ne t'avions pas encore rencontrée. Il y a quarante ans, les échographies étaient un luxe. En 1975, moins de 10 % des femmes enceintes y avaient eu accès, le plus souvent dans les premières semaines, afin de dater le terme avec plus de précision. Nous avions eu la chance de faire partie de cette minorité. Une image de contrôle avait été réalisée au cours du premier trimestre, difficilement interprétable, même pour le médecin que je suis. Évidemment, il était impossible de connaître le sexe. Mais ta mère était certaine que tu étais une fille. Tellement certaine qu'elle n'a jamais employé que le pronom « elle », pour parler de toi. De temps en temps je lui rappelais que rien n'était sûr, mais je m'étais moi aussi fait à cette idée. Imaginer ma fille me permettait de mieux me représenter mon rôle de père – un rôle idéalisé, tellement loin de la réalité qui serait la mienne finalement, mais déjà tellement intense, présent. Ta naissance devenait concrète. Tu devenais réelle, pour moi qui ne sentais tes mouvements qu'à travers le filtre du ventre tendu de ta mère.

Il fait froid dans l'appartement, ce matin-là. La température est encore descendue dans la nuit. Je me prépare le plus discrètement possible, à la lampe de poche. Je décroche le combiné du téléphone, la ligne est hors-service. Je m'y attendais. Je laisse un petit mot à ta mère pour lui dire combien je vous aime, toutes les deux, mes deux princesses endormies. Je referme la porte et enfile mon manteau en dévalant l'escalier aux marches branlantes. Notre immeuble est désert. Nous en avons plaisanté trois jours plus tôt avec la concierge, exceptionnellement absente elle aussi : pour ce premier jour de 1976, sur les douze appartements que compte notre petite résidence, le nôtre est le seul occupé. La concierge a confié les clés de sa loge à ta mère, qui lui a promis d'observer d'éventuelles allées et venues et autres comportements suspects – on ne sait jamais ce qui peut se produire les jours de fête, on voit tellement de choses de nos jours. Je noue mon écharpe dans l'entrée, me préparant à affronter la rudesse de l'hiver, les rafales *de vent, et mon poste d'interne, urgentiste à l'Hôtel-Dieu.*

*

La journée passe. Éprouvante. Des pauses réduites au strict minimum, quelques cafés avalés en hâte, un déjeuner soi-disant festif expédié en moins de dix minutes. Les quelques bonnets de Père Noël qui tentent d'égayer les lieux ne bernent aucune des personnes présentes : qu'il s'agisse des patients ou du personnel hospitalier, tous préféreraient être ailleurs. Tout le monde fait bonne figure, esquisse des sourires, autant qu'il est possible.

À chaque instant que je parviens à voler au bourdonnement des urgences, je me rends jusqu'au bureau des admissions et compose le numéro de notre appartement – l'hôpital a été miraculeusement épargné par les déconnexions. Occupé. La ligne est toujours coupée. Ta mère me manque. Lors de ma garde du 25 décembre, elle m'avait appelé toutes les heures. Cela avait été un jeu avec les jeunes femmes de l'accueil, qui me passaient ses messages tout en me félicitant d'avoir une épouse si amoureuse. J'étais fier. J'ai toujours été fier de ta mère. Je le suis encore aujourd'hui. Elle me connaît, elle sait que je ne peux empêcher mon imagination de vagabonder sur des routes tortueuses, lorsque je la laisse seule. Alors,

depuis qu'elle est enceinte, elle m'appelle régulièrement lors de chacune de mes gardes. Pour éviter que
je ne m'inquiète.

J'ai, cette année-là, accepté toutes les gardes des
jours de fête, espérant passer mon tour l'année suivante et profiter de ce qui serait notre premier Noël à
trois. En famille. Ma petite famille.

*

Avant de quitter l'hôpital, je tente de l'appeler une dernière fois, sans succès. À défaut de téléphone, j'espère au moins que le chauffage est revenu
dans l'appartement. Lorsque je sors dans la rue,
vers 19 heures, il fait noir, il fait froid. Une nuit de
janvier nuageuse, sans étoiles. Je presse le pas car la
neige tombe de nouveau. Je l'imagine en train de
lire, recroquevillée au fond de notre lit. Cette image
me rassure, mais je sens les muscles de mon dos se
raidir à mesure que je me rapproche de notre foyer.
Probablement un effet combiné des températures
négatives et de mes craintes les plus infondées.

Je pénètre dans notre immeuble et esquisse un
sourire en constatant que l'électricité est de retour.
Je commence à monter les marches, maudissant les
sept étages qu'il me faut grimper. Nous avons parlé de
déménager : lorsque tu seras là, nous savons que ces
escaliers seront difficiles. D'ailleurs, ta mère espace

ses sorties depuis quelques semaines. Sa prise de poids s'est accélérée courant décembre, elle met désormais de longues et laborieuses minutes pour se hisser jusque chez nous.

Parvenu au quatrième étage, essoufflé, je me jure de commencer à chercher un nouvel appartement dès le lendemain.

Parvenu au cinquième étage, je fais une halte. Je dénoue mon écharpe. La température est remontée dans les espaces communs, j'imagine pouvoir me faire couler un bain chaud et accélère le pas.

Parvenu au sixième étage, mon regard est attiré par une tache sombre sur le parquet. Je m'agenouille, regarde de plus près. Je pose mon index dessus. Je me mets à trembler. Je relève les yeux et mon cœur s'emballe. La tache n'est pas isolée. Il y en a d'autres, plus longues, traînantes. Sur le palier du sixième. Sur les escaliers menant à l'étage du dessus.

Parvenu au septième étage, mon pouls s'accélère. Je sens une vague de panique monter en moi. La porte est entrouverte. La traînée de sang est quasiment continue. Mes entrailles paralysent mon esprit. Je me rue dans l'appartement, hurle le prénom de ta mère, me surprends à noter mentalement que les lumières sont allumées. Comme si cela pouvait avoir une importance.

Elle n'est pas dans le salon.

Mes yeux se brouillent car j'entends un cri qui

fait écho au mien. Un cri de bébé. Je reprends mes
esprits et ma respiration, appelle ta mère une fois,
deux fois, trois fois. Je progresse dans le couloir tout
en reconstituant en quelques secondes le scénario le
plus probable : elle a accouché. Seule. Tout est allé
trop vite. Elle était coupée du monde, sans téléphone.
Elle a tenté de sortir, est descendue d'un étage. Puis
a rebroussé chemin. La douleur était trop forte, la
perte de sang lui a fait peur. Elle a eu le courage et
la force de remonter. Je l'admire, je l'aime, elle s'est
débrouillée comme une championne, a vécu l'enfer
seule mais le résultat est là : j'entends le cri de mon
bébé.

Pourquoi est-ce que je ne l'entends pas, elle ?

J'entre dans la chambre. Elle est étendue sur le lit.
Tu es posée dans le creux de son bras. Elle a coupé
ton cordon, t'a gardée contre elle. Elle avait raison,
tu es une fille. Je pleure. Tu es belle. Ta mère regarde
ailleurs. Elle ne dit rien, ne bouge pas, ne répond
pas. Elle n'a répondu à aucun de mes appels.

Je fais le tour du lit. Le sol se dérobe sous mes
pieds.

Ses lèvres sont bleues. Son corps est froid. Je la
secoue, crie plus fort. La vérité me percute à mesure
que montent les sanglots. Elle n'a pas le droit de me
faire ça, pas aujourd'hui, pas comme ça, jamais. Je
pose mes doigts sur son cou mais je sais déjà. J'entre-
prends un massage cardiaque qui ne changera rien.

Je hurle son prénom à m'en déchirer la poitrine. Je te prends dans mes bras et je m'effondre sur le sol. Je te serre contre mon cœur et mon corps s'agite, incontrôlable. Ce n'est pas possible. Ce n'est pas possible. Pourquoi ne suis-je pas revenu plus tôt ? Pourquoi ai-je accepté cette garde ? Si j'avais été là, elle serait là, elle aussi. Avec moi. Avec toi.

J'émets un cri guttural, instinctif. Une plainte des profondeurs.

Mon amour.

Je continue de te serrer dans mes bras, et soudain, je l'entends. Je crois reconnaître le rire de ta mère, mais ce n'est pas ça. Je te regarde, je cesse de pleurer, sous le coup de la surprise. De la terreur.

Je me relève. Lentement.

C'est alors que je la vois.

Remuant au milieu d'une flaque aussi sombre que ce qu'elle vient de provoquer.

Inattendue. Diabolique. Injuste. Meurtrière.

Ma deuxième fille.

II
JOURS

10

Lundi

Nouveau look, nouvelle vie

Juliette m'attend sur le parking de la gare, debout devant sa Twingo rose – je déteste le rose, ça tombe bien. Lorsque je lui ai expliqué, la veille, que je ne savais pas conduire, elle s'est gentiment moquée.

— Je me demande bien comment tu as pu survivre jusque-là… Et sinon, tu as l'eau courante chez toi, dans ta petite capitale ?

Elle n'a pas tort. Ne pas avoir le permis, c'est assez exceptionnel pour quelqu'un de ma génération. Mais les transports en commun parisiens me font moins peur qu'un véhicule conduit par mes soins. Je n'ai jamais sauté le pas et n'en ai jamais souffert, bien au contraire.

Plus je m'approche de la voiture, plus je prends conscience de la beauté de Juliette. Naturelle et sophistiquée à la fois. Légèrement maquillée, les cheveux relevés, retenus par une simple pince. Lumineuse, étincelante sans en avoir l'air, dans son ensemble chemisier fluide, short en jean, sandales en cuir tressé. Le contraste avec mon allure – cheveux bruns effet « saut du lit » (pas coiffés, en vérité), tee-shirt bleu informe et jupe banale – est saisissant. Il y a du boulot pour me hisser à son niveau. Un adjectif du XVe siècle se fraie un chemin dans mon esprit, je n'en trouve pas d'autre. Tant pis.

— Juliette, tu es pimpante !

— Merci… mamie !

Grand sourire. Je prends un air choqué, elle continue :

— Je te taquine, elles sont géniales tes expressions anachroniques. Il va juste falloir que tu les mettes de côté quelques jours.

Je me creuse la tête pour répondre quelque chose d'inspiré et animer de nouveau ses yeux pétillants.

— *No problemo*, je peux parler au top de la caillera chanmé si je veux !

Juliette éclate de rire mais s'arrête net. Elle se retourne pour éviter que je la voie et tousse de longues secondes. Tout en continuant de se marrer, malgré tout.

— OK, Romane, on progresse dans le vocabulaire, mais là tu es restée coincée dans les années 90... tu as donc un Tamagotchi, un radio-cassette et tu danses le Mia en regardant *Hartley cœurs à vif...* plus que vingt ans à rattraper. On a une journée. On est large.

Je lui demande si elle se sent suffisamment bien pour conduire, elle me répond « oui, bien sûr, je ne suis pas encore morte » en souriant. J'ai le sentiment que Juliette pourrait égayer n'importe quelle situation dramatique. Je sens en elle une force, une envie de vivre qui déplacerait des montagnes.

Elle m'expose en conduisant le programme de la journée. Ultra-chargé. Elle s'éclipsera demain à la première heure, son rendez-vous à l'hôpital étant fixé à 9 h 30.

Juliette m'explique que sa fille ne sera pas là de la semaine, finalement. Elle devait la récupérer aujourd'hui, mais elle est parvenue à convaincre Raphaël, son ex-compagnon, d'intervertir leurs semaines. Sans rien lui révéler, bien entendu. Juliette ne s'est pas mariée avec Raphaël, Juliette est « contre le mariage, les engagements solennels, toutes ces conneries », mais elle a gardé d'excellentes relations avec lui. Elle l'aime toujours, d'une certaine façon. Différemment, bien sûr. Mais il est le père de sa fille, leur lien demeure puissant.

— Raphaël gardera Marie jusqu'à lundi prochain. Ce sera plus simple pour toi, tu auras déjà pas mal de choses à gérer, sans en plus te coltiner ma princesse.

Juliette pense avoir bien fait. Son intention est des plus louables. Je ne dis rien, parviens à contrôler mes émotions. Mais je suis extrêmement déçue. Cela fait des années que je ressens ce que de nombreuses personnes encore seules à mon âge ressentent, et qui pèse plus lourd encore que la solitude : le manque d'enfant. M'occuper de ma nièce quelques jours en prétendant être sa mère me mettait en joie. Mais Juliette a raison, ce sera plus simple comme ça.

Nous serpentons quelque temps à travers de grandioses paysages émaillés de vignobles provençaux. La lumière est aveuglante, presque noire. Je plisse les yeux, et déjà je distingue, à flanc de colline, le village de Châteauneuf-du-Pape, surmonté d'un donjon dont Juliette m'apprend qu'il est un vestige de l'ancienne résidence des souverains pontifes, construite au XIVe siècle. La voiture s'immobilise dans une rue médiévale étroite, à l'ombre d'épais murs de pierre. Nous nous asseyons sur une poutre de bois brut scellée dans un bloc de roche, et Juliette sort deux bouteilles d'eau de son sac à main – un « *it bag* de créateur », selon ses propres termes, un simple cabas en toile décoré de sequins argentés, d'après moi. Nous buvons quelques gorgées, renversons la tête et observons le ciel. Un dernier silence avant le tumulte des jours à venir. Un îlot de fraîcheur au cœur du bouillonnement. Un instant de recueillement.

Juliette se tourne vers moi. Elle semble heureuse, apaisée.

— Nous sommes à une demi-heure de chez moi, j'ai dû mettre les pieds ici deux fois dans ma vie, j'ai pensé que ce serait l'idéal pour une petite séance de relooking en toute tranquillité. Je connais trop de monde à Avignon, l'ensemble du plan tomberait à l'eau si l'un de mes voisins nous surprenait côte à côte. Et puis, ça nous permettra d'enchaîner sur un bon restaurant… et du bon vin !

— Hmm… es-tu certaine de vouloir boire de l'alcool ? Je ne suis pas sûre que ce soit bien raisonnable… et puis tu dois conduire après…

Elle me fout la frousse avec tout ça. Je lance machinalement la main dans mon sac, à la recherche de mes alliés de papier. Elle s'en aperçoit.

— Ça va, Romane, déstresse. Oui, je peux boire un petit verre de vin, non, ça ne va pas me tuer, non, je ne vais pas nous envoyer dans le décor… lâche tes sacs à vomi, tout va bien, la situation est sous contrôle. Allons-y !

Elle me tend la main, comme pour m'inviter à danser. Je pose ma paume dans la sienne, esquisse un simulacre d'entrechat, et nous nous dirigeons vers le salon *De quoi j'ai l'hair*. Je prie pour qu'ils soient meilleurs en coiffure qu'en jeux de mots. Nous entrons, et Juliette explique le plus simplement du monde qu'il faudrait je ressorte de là en étant sa copie conforme.

— Nous nous ressemblions tellement quand nous étions petites, nous aimerions retrouver cette sensation aujourd'hui, nous sommes tellement proches, vous savez…

La coiffeuse – au look improbable d'icône gothique cagole –, est ravie de ce défi, qu'elle prend très au sérieux. Couleur, coiffure, puis maquillage. Tout y passe, conseils patients à l'appui – il faut dire que le mascara, l'eye-liner, le fond de teint… tout cela est exotique pour moi, je n'en ai mis que trois ou quatre fois dans ma vie.

Deux heures plus tard, je suis une autre.

Je suis elle.

Lorsque je me vois dans la glace, une fois la transformation achevée, je ne parviens pas à retenir mes larmes.

Mes pensées se bousculent. Je me dis que ça n'est pas moi, que c'est Juliette que je vois. Que d'ici quelques jours je redeviendrai Romane, et que tout ça disparaîtra, s'envolera avec le carrosse.

C'est étrange, car en même temps, je me dis tout le contraire. Que ce jour marque peut-être pour moi un nouveau départ, qu'il ne tient qu'à moi de rester cette femme-là. Que j'ai le droit, moi aussi, de me sentir belle. Car je me sens belle, là, devant ce miroir de salon de coiffure. C'est un moment d'une force insoutenable, pour moi qui n'ai jamais eu qu'une piètre estime de mon physique. Mes vêtements me paraissent soudain totalement décalés, j'ai envie de les jeter, de les brûler. « C'est l'étape d'après, nous allons y venir », affirme Juliette en riant. Je continue de pleurer doucement, et la coiffeuse peste car je viens de détruire en quelques instants tout son travail en matière de maquillage. Juliette et moi nous esclaffons comme deux idiotes. Alors, ma finalement très talentueuse relookeuse ravale sa fureur et rit avec nous.

Pendant le déjeuner qui suit, Juliette passe en revue les consignes concernant la librairie et son appartement. Alors même que je n'avais pas encore dit oui, elle a profité de mon aller-retour à Paris pour préparer et imprimer un document reprenant les informations principales. Juliette le complétera en cours de journée, au fil de nos discussions. Codes d'accès, horaires d'ouverture, quelle clé pour quelle porte, liste des numéros de téléphone de sa mère, son père, Raphaël, sa meilleure amie Corinne (« elle est en vacances en Bretagne elle ne devrait ni t'appeler ni venir te voir cette semaine »), arbre généalogique simplifié, anecdotes sur l'un, sur l'autre, phrases à placer à sa mère ou son père

« pour faire plus vrai »… Ces pages sont un véritable kit de survie qui m'apparaît tout de suite indispensable, mais qui me met également un bon coup de pression.

Je prends conscience peu à peu de l'immensité de la tâche qui sera la mienne. Juliette le sent, réussit à m'apaiser. À dédramatiser.

— Il n'est question que de quelques minutes avec chacun d'eux. Raphaël et Marie sont partis chez mes ex-beaux-parents, du côté de Nice. Ma mère, c'est sûr que tu la verras, elle passe au moins trois fois par semaine à la boutique. Elle va peut-être t'inviter à dîner, mais tu peux refuser, dire que tu as autre chose de prévu, que tu es fatiguée… Mon père, je ne suis pas certaine que tu le croises. Il trouve qu'il fait bien trop chaud pour sortir en ce moment, alors il reste chez lui – chez eux. Ils ont une baraque avec piscine et climatisation en périphérie d'Avignon, c'est son havre de paix, alors s'il peut éviter de déambuler au milieu des festivaliers éméchés, ça l'arrange.

Juliette fait une pause. Prend le temps de respirer. Me sourit.

Je l'admire. Lui souris en retour. Je me garde bien de lui hurler à quel point je brûle de rencontrer ses parents. Juliette n'évoque plus nos origines. Elle ne semble pas habitée de ce besoin de savoir, cette fièvre qui ne me quitte plus. Ces éléments pourtant si importants, Juliette les occulte. Est-ce que tout ça passerait au second plan pour moi aussi, si j'étais à sa place ? Oui, bien sûr. Elle a sans doute raison. Il lui faut diriger ses forces vers le combat le plus rude, le plus urgent. À quoi bon remettre en question toute sa vie au moment où elle se prépare à affronter la mort ? Sur un navire à la dérive, nous avons tous besoin d'un cap, d'une boussole en état de marche, pour ne pas s'abîmer sous le poids de la panique, des incertitudes.

— Tout va bien se passer, Romane. Les clients de la librairie, ou mes connaissances avignonnaises, ça fait beaucoup de monde, mais tu n'auras qu'à faire semblant, dire bonjour poliment, lancer un joli sourire franc, et le tour sera joué. S'ils engagent la conversation, laisse-les parler en premier, comme ça, tu entendras s'ils disent « tu » ou « vous », s'ils ont plutôt l'air de bien te connaître ou pas…

Nouvelle pause. Nouvelle toux, douloureuse. Nouveau sourire.

— Et puis… on vit dans un monde sur-connecté, où l'on est sursollicité, alors la bonne vieille méthode du coup de fil auquel tu dois répondre, du rendez-vous que tu ne peux pas rater et qui t'oblige à partir, ça marche toujours. Et si quelqu'un te signale quelque chose que tu aurais oublié, prends-le comme un jeu. Ça arrive. On a tous droit à l'erreur, non ?

Elle a sans doute raison. Je me fais trop de mouron, comme d'habitude. Il faut que je me calme.

*

De retour à Avignon, nous prenons bien soin de ne pas arriver chez Juliette ensemble. Elle me dépose près des remparts, et je finis le trajet à pied, guidée par mon smartphone. Il y a toujours autant de monde dans les rues, mais j'ai l'impression qu'il fait moins chaud aujourd'hui. Ou bien suis-je en train de m'habituer ? Je n'ai pas eu le temps de consulter une quelconque application météo, je ne sais pas si l'alerte canicule a été levée, mais je respire mieux.

Je passe une partie de l'après-midi à apprendre à m'habiller comme Juliette, puis j'observe quelques photos, je m'imprègne des visages de ceux qui deviendront « mon entourage » d'ici quelques heures. Juliette me demande si je peux lui montrer une photo de mon père. Elle n'avait pas osé me le demander la veille. Je n'en ai aucune. Je n'y avais même pas pensé. Mon père a toujours été phobique des prises de vues, et l'avènement des smartphones n'a rien arrangé. Il pense, comme moi, que laisser traîner des images de soi dans un objet si facile à voler ou pirater est dangereux. N'importe qui peut s'en emparer, la NSA, des hackers, un simple pickpocket. Ni lui ni moi n'avons une quelconque envie de voir notre visage associé à une scène de crime, un faux passeport. Alors nous ne prenons pas de photo. Jamais. En fait, celles que Juliette et moi avons prises la veille, ensemble, sont les seules images dans mon smartphone. Juliette rit et affirme que nous sommes une belle brochette de paranos. Elle n'a pas tort.

Je travaille ensuite à intégrer les manies de Juliette, ses habitudes. Juliette se ronge les ongles, mord son stylo-bille, entortille ses cheveux autour de son doigt lorsqu'elle parle, ponctue ses interventions de « c'est clair » ou de « tu vois ce que je veux dire ? » automatiques… je vais essayer de les imiter.

Enfin, elle me parle de la librairie. Je lui dis que je ne suis pas très littéraire, que je ne vais pas savoir conseiller les clients.

— Tu sais, tout le monde n'est pas en demande de conseil, surtout en cette période estivale. Certains viennent acheter un livre précis, d'autres se balader dans une boutique climatisée pour quelques minutes. Si tu ne sais pas répondre, ne t'inquiète pas, tu n'es pas censée tout savoir. En revanche, je te préviens, tu risques d'avoir droit à quelques perles…

— Quelques quoi ?

— Des perles… Des gens qui viennent te demander si par hasard tu n'aurais pas « En atten-

dant Golio» de Beckett, «Le zoo de Hurlevent»
ou les *Poésies complètes* de Rambo…

Je me mets à glousser.

— Je suis sûre que tu exagères… ça ne doit pas
t'arriver si souvent que ça, de telles demandes, si ?

— Plus souvent que tu ne l'imagines… Promets-
moi de m'envoyer un SMS si quelqu'un vient te
demander l'«Antigode» d'Anouilh, le «Colonel
Choubert» ou «Ça glisse dans la vallée» !

Je pleure de rire, mais je promets, entre deux
reniflements. Croix de bois, croix de fer.

Juliette m'apprend ensuite les rudiments techniques du métier. *A priori*, je n'aurai rien d'extravagant à faire cette semaine, les commandes majeures
sont passées, le stock est plein.

— Mais il y a toujours quelqu'un qui a besoin
d'un livre que tu n'as pas, il faut que tu saches
manier le logiciel de commande. Et la caisse, bien
sûr.

Je ne suis pas très douée dès qu'il s'agit d'ordinateur, alors ce qui lui aurait peut-être pris trente
minutes avec quelqu'un d'autre nous prend une
bonne heure. Elle ne se plaint pas. Explique, inlassablement, toujours avec le sourire. Elle tousse,
s'essouffle, repart. J'ai mal pour elle. Plus je passe
de temps avec elle, plus je me dis que la maladie
n'a pas le droit de la menacer de la sorte. Qu'elle

mérite de vivre. Mon cœur se serre à chaque déchirement de sa poitrine.

Je passe à ses côtés une soirée fantastique. Nous dormons peu, mais nous dormons, faisant bloc dans son grand lit. Peut-être ont-elles l'air un peu ridicule, ces deux petites filles de trente-neuf ans qui se tiennent la main toute la nuit. Les deux gamines s'en moquent. Elles sont ensemble. Elles n'ont pas l'intention de se quitter une seconde.

*

Lorsque le mardi arrive, je ne sais pas si je suis totalement rassurée.

Mais je crois que je suis prête.

À 7 h 30, Juliette m'enlace longuement.

Je récupère son iPhone, lui tends le mien. C'est sans doute l'objet le plus personnel que nous ayons de nos jours. Il y a tout dans un smartphone. L'échanger revient à échanger sa vie. C'est exactement ce que nous sommes en train de faire.

Juliette a le regard humide en me disant au revoir. Le taxi l'attend, elle doit me laisser, je ne peux pas la suivre, on pourrait nous surprendre. Alors qu'elle lâche mes mains et me sourit, je vois passer une terrible vague de tristesse dans ses yeux. Je referme la porte, et cette même vague déferle dans les miens. J'ai l'étrange sensation que je viens d'étreindre ma sœur pour la dernière fois. Je tente de chasser cette idée noire, mais elle s'accroche, cruelle, à la paroi de ma boîte crânienne.

Pourtant je ne dois pas m'apitoyer. Je n'en ai pas le temps.

J'ai une coiffure, un maquillage à reconstituer – Dieu sait que je n'en ai pas l'habitude –, et une librairie à ouvrir. J'ai une journée de mensonge à vivre.

Je prends une grande inspiration, et m'attelle à mon invraisemblable promesse. Malgré les émotions extrêmes qui m'agitent, à mesure que je me transforme en Juliette, je sens une joie confuse m'envahir. Une forme de bonheur, peut-être.

Parce que je rends service à ma sœur.

Parce qu'au fond de moi, je suis convaincue qu'elle va s'en sortir.

Parce que j'ai compris que me savoir là, à assurer ses arrières, la rend plus sereine, plus armée, plus apte à affronter sa maladie.

Parce que je sais que ce que je fais n'est pas seulement pour elle. Si j'ai accepté, c'est pour moi, aussi. C'est pour moi, avant tout.

Je suis fébrile, nerveuse, exaltée, troublée.

Je finis d'appliquer mon rouge à lèvres. Je souris à cette nouvelle venue, dans le miroir. Je ne la trouve pas si mal, après tout.

Tout, en elle, a l'air furieusement vivant.

11

Mardi

Premières

J'ouvre la librairie à l'heure prévue. Je dispose les vases remplis de fleurs blanches dans l'entrée – par cette chaleur, Juliette m'a conseillé de ne pas les sortir sur le trottoir, elles risqueraient de mourir en quelques heures. Je n'ai pas du tout la main verte, j'avoue que sans cette intervention de ma sœur, je les aurais sans doute mises à mort dès le premier jour.

J'aime cette librairie. L'atmosphère y est chaleureuse. Juliette l'a organisée en plusieurs espaces bien délimités. De larges tables de bois patiné, de belles pyramides et des petits cartons «alerte coup de cœur» sur les piles de littérature adulte. Un guéridon bas, deux fauteuils en cuir marron pour se poser et feuilleter l'un des ouvrages du rayon Beaux Livres. Un pouf vert pomme, une lumière douce, un bureau d'écolier vintage, et des feutres dans un pot en forme de taxi londonien, pour le coin enfants. Juliette me l'a expliqué : sa librairie, c'est chez elle, elle passe plus de temps ici que dans son appartement, situé à l'étage. Alors autant qu'elle s'y sente bien, et que ses invités – ses clients – y passent un moment agréable.

Je ne suis pas une très grande lectrice, mais j'ai toujours adoré les librairies. Et j'aime l'odeur unique des livres. Chez mon père – j'allais dire « chez moi », on ne se refait pas –, il y a une quantité impressionnante de bouquins. Depuis que j'ai quitté le foyer, mon père a transformé mon ancienne chambre en cabinet de lecture. Enfin, façon de parler. Mon père n'a pas déboulonné mon lit, ni changé la déco. Il a simplement déplacé dans une bibliothèque en bonne et due forme plusieurs dizaines d'ouvrages qui prenaient la poussière sur le sol du salon. Pour mon père, les livres sont des objets sacrés. Il m'a toujours appris à les respecter. J'ai beaucoup lu étant enfant – la comtesse de Ségur, *Le Petit Nicolas*, *Le Club des cinq* et autres *Six Compagnons* –, un peu moins à l'adolescence, encore moins étant adulte, et plus du tout depuis le fleurissement des vidéos à la demande et le sacre de « saint iPad ». Les écrans se sont substitués progressivement, sournoisement, aux livres. Mais ils n'ont pas d'odeur, aucune texture. Le papier me manque terriblement.

Dans l'univers de Juliette, le papier est roi. J'ai envie de toucher, et après tout, qui m'en empêche ? Je me dirige vers le rayon Jeunesse, y trouve un exemplaire de *Charlie et la chocolaterie*. Je m'assieds, je le feuillette, le caresse. Ce volume-ci n'est pas encore né. Il attend sagement le regard amusé d'une petite fille, d'un petit garçon, pour déployer ses richesses. L'enfant éprouvera cette sensation unique de tourner chaque page en imaginant ce qui se cache derrière, il tremblera, rira, se demandera cent fois quelles autres folles aventures a bien pu concocter ce diable de Roald Dahl. Bien des années plus tard, l'enfant en parlera toujours avec gourmandise, achètera une nouvelle édition, destinée à ses propres enfants, relira ce même texte, avec le plaisir non dissimulé de celui qui sait, qui transmet. Je ferme les yeux et j'ai cinq ans. Je ne sais pas encore lire, mais j'écoute mon père, lovée au creux de ses bras. Il est le plus incroyable des Willy Wonka, avec sa voix grave et sucrée. Le bonheur de cette simple scène est intact, les images tellement vivantes. Le pouvoir émotionnel des livres m'a toujours fascinée.

Je me relève, balade mes mains le long des étagères, et déambule ainsi quelques minutes, laissant la sensualité de la librairie m'enivrer. Je me sens bien.

Ma quiétude est troublée par le tintement de la clochette, signalant l'arrivée de mes premiers clients.

Je passe une matinée extraordinaire. Je n'ai pas peur d'employer ce mot. Tout ici m'enchante. Les clients sont adorables, et extrêmement indulgents quant à mon ignorance… J'ai fait mienne cette citation de Juliette : « On a tous droit à l'erreur, non ? », parfois remplacée par « On a tous quelques lacunes, non ? ». J'ai l'impression qu'ils repartent contents. Je ne sais pas si je fais le chiffre d'affaires que Juliette aurait fait, mais les quelques ventes de romans contemporains me réjouissent. Et me donnent envie de les découvrir. Je ne dois donc pas être une si mauvaise libraire, puisque je parviens à m'auto-convaincre…

Sur le coup de midi, la sonnette retentit de nouveau. Une entrée plus brusque que les précédentes. Un habitué, sans doute. Je relève la tête.

C'est ma mère. Enfin, la mère de Juliette.

Mon cœur bat plus fort, plus vite. Elle s'approche, s'agite, me parle. Je suis comme anesthésiée, paralysée par l'émotion. C'est donc à ça que ça ressemble, une mère en vie. En pleine forme, même. Juliette m'avait montré des photos, mais la réalité

– son et lumière – va bien au-delà de la description qui m'a été faite.

Paola est… comment dire ? Haute en couleur.

Un accent italien à la fois délicieux et déroutant, de grands gestes, un chapeau rouge à larges bords et d'immenses lunettes de soleil qui lui donnent des airs d'actrice en goguette. Une certaine classe. Rendant totalement incongrus ses propos des plus terre à terre et son immense sac Carrefour rempli de Tupperware. Paola est volubile et attentive à la fois. Charmante, vraiment.

— Mais dis-moi tu as l'air d'aller mieux, ma belette ! Pardon, je sais que tu ne veux pas que je t'appelle comme ça à la librairie… mais il n'y a personne alors j'en profite.

Elle part dans un grand rire sonore, je réponds d'un sourire. Elle roule les « r », dit « bélette », mais prononce d'autres mots à la française : ses « mais » et ses « tu » – pourtant souvent caricaturaux dans la bouche de Transalpins francophiles – sont parfaits. Je dois éviter de trop parler. Je continue de sourire. Règle n° 1 : écouter, avant tout.

— Tu as avalé ta langue ? Tu es bien plus parlante d'habitude… c'est comme ça qu'on dit ?

Je dois répondre, là ? Oui, ça y est, c'est à moi.

— On dit loquace, plutôt, maman.

— Oui, loquace c'est ça. Je ne m'y retrouverai

jamais, dans cette langue. Que veux-tu, on ne se refait pas.

Elle commence à sortir des boîtes en plastique, qu'elle dépose sur le comptoir, une à une. Il y a de quoi tenir un siège.

— Je vous ai fait de la daube provençale avec des tagliatelles, puisque je sais que Marie adore ça, des gnocchis maison (pas un de ces trucs immondes vendus en grande surface), un peu de sauce au pesto pour accompagner...

À chaque fois qu'elle énonce un mot italien, elle le fait avec l'accent qui va bien. J'adore.

— ... et puis une blanquette de veau. Je t'ai aussi mis un reste du couscous que j'avais congelé la semaine dernière.

Elle fait une pause, me regarde intensément. S'approche et me lance :

— *Stai bene, tesoro ?*

C'est là que ça se corse. Juliette m'a prévenue que sa mère s'adresse parfois à elle en italien. Je n'en parle pas un mot. Elle m'a conseillé d'ignorer ça et de répondre en français. Sauf que je ne sais pas du tout ce qu'elle vient de me dire.

— Merci maman, merci mille fois, je vais me régaler. Mais c'est beaucoup trop, tu n'aurais pas dû...

— Tu n'as pas répondu à ma question. Tu te

132

sens bien ? En tout cas tu as meilleure mine que la semaine dernière.

— Oui, maman, je me sens parfaitement bien. Merci du compliment.

— *Bene bene...* Tu as l'air de moins tousser, ta voix est plus claire, aussi. Tu vois que mes préparations d'huiles essentielles te font de l'effet, *amore* ! Bon, je vais monter ranger tout ça dans le congélateur. Et non, ça n'est pas tant que ça pour vous deux... Marie est là-haut ? J'ai bien envie d'embrasser mon petit bijou rose... Ensuite je dois y aller, ton père m'attend en double file, et tu le connais, il n'est pas du genre patient...

Ton père. Le père de Juliette. Le mien ? Les images se bousculent dans ma tête. Les sentiments, aussi. La peur, le désir de le voir, la honte d'espérer une autre famille que mon propre père. Je marque un temps d'arrêt, m'appuie sur le comptoir, régule ma respiration, espère que Paola ne remarque rien. J'en ai oublié sa demande. Elle m'observe, attend. Ah oui, il était question de Marie. Je m'apprête à répondre mais elle ne m'en laisse pas le temps.

— Tu es sûre que ça va, *tesoro* ? Tu es bizarre ce matin...

Merde merde merde merde, Romane ressaisis-toi.

— Je suis juste un peu fatiguée, avec cette chaleur... mais tout va bien, et ça ira encore mieux avec toutes ces bonnes choses à manger ! Merci, maman.

Je m'approche, l'embrasse sur la joue. Elle me sourit. La suspicion s'éloigne. Je respire. Je reprends :

— Et Marie n'est pas là cette semaine, elle est chez Raphaël.

— Ah bon, mais pourquoi est-elle chez Raphaël ? Elle était bien chez lui la semaine dernière, non ? C'est à nous cette semaine, normalement. Pardon... c'est à toi. Tu devrais plus profiter d'elle. Pourquoi est-ce que tu ouvres le dimanche d'ailleurs, franchement, tu n'as pas mieux à faire ? Cela dit, j'ai vu qu'hier tu avais fermé, j'ai trouvé ça bien et j'ai pensé que tu étais avec ta fille.

Une lueur de malice passe dans ses yeux. Elle s'approche et prend le ton de la confidence. Elle m'inquiète. Je recule, imperceptiblement.

— Mais si tu n'étais pas avec ta fille, alors avec qui tu étais... hein ? Et en plus aujourd'hui tu es fatiguée...

Punaise qu'est-ce que j'ai bien pu faire hier ? Réfléchis, Romane, réfléchis. Non, Juliette, tu es Juliette.

— Ha ha maman, tu n'en loupes pas une ! Ça ne te regarde pas, que je sache...

J'essaie de gagner du temps, mais je ne sais pas si le ton de cette remarque est compatible avec les relations que Juliette entretient avec Paola... Elle fronce les sourcils. Attend quelques secondes. Me dévisage. Je sue à grande eau. Même pas quelques heures, et j'éveille déjà les soupçons de la mère de Juliette… Elle se met à rire, me caresse la joue en me disant que ça ne la regarde pas en effet, mais qu'elle est contente de me voir si épanouie. Un frisson me parcourt au contact de sa peau, je ne peux m'empêcher de penser que c'est peut-être la première caresse de ma mère, depuis près de quarante années. L'émotion me gagne, je la dissimule autant que possible en faisant mine de m'intéresser à l'écran de la caisse. Puis Paola ramasse les boîtes en plastique, s'éloigne, et monte dans l'appartement afin de déposer ses petits plats dans le réfrigérateur.

Mon cerveau est en ébullition. Je sais que le père de Juliette est à quelques mètres de là, attendant Paola dans sa voiture. Il n'y a personne dans la boutique. *Arrête de réfléchir, Romane, si tu veux le voir, c'est maintenant.*

Bien sûr que je veux le voir, cet autre. Je ne pense qu'à ça depuis deux jours. Rejeter cette ressemblance dont Juliette m'a parlé. Ou la constater. De mes propres yeux.

Je sors, repère la voiture garée en double file. Je tremble. Je toque à la vitre passager, une tête se tourne. Il déverrouille la portière. Je pénètre dans l'habitacle, m'assieds sur le siège avant, me penche pour lui faire une bise, les yeux mi-clos, lance machinalement un «Bonjour, papa» qui sonne faux, il me répond d'un «Bonjour, ma chérie» qui sonne vrai.

Gabriel, le père de Juliette.

Je n'ose pas le regarder, ne serait-ce qu'une seconde. Juliette lui ressemble, tout le monde le dit. L'idée même de ces traits communs me terrifie. Alors je diffère, je repousse. Je voudrais lui demander, là, tout de suite, dans cette voiture, s'il est mon père, s'il est le père de Juliette, déchirer la peau de son crâne pour découvrir ce qui se cache à l'intérieur.

Gabriel se tourne vers moi, et enfin je l'observe. Le scrute de tous mes yeux.

Il me demande comment je vais, par cette chaleur, me dit que je suis très belle. Je rougis. Il ajoute que ma mère prend toujours son temps alors que lui se fait insulter par des hordes d'automobilistes furieux, qu'elle exagère, est-ce qu'elle est bientôt prête? Je lui réponds qu'elle sera là d'ici quelques minutes. Une conversation banale entre un père et sa fille.

Il est beau. Les yeux d'un bleu très proche du mien, c'est vrai. Pas de taches de rousseur, mais une peau hâlée, des cheveux gris tirant franchement vers le blanc. Un visage et un corps que je distingue comme légèrement rond. Une envie de se blottir. Un sourire doux, bienveillant. Un père rêvé. Presque idéal. Pas de canine microscopique. Une certaine ressemblance oui, mais d'après moi rien de totalement évident.

Je suis soulagée, curieusement. Il y a encore une chance que mon vrai père le soit réellement. Mais il y a aussi des chances pour que Gabriel le soit.

Cette rencontre est éprouvante. La tension dans mes muscles est extrême, je sens poindre des larmes au coin de mes yeux. Le père de Juliette – *ton père, en ce moment, Romane* – me dit que ça fait un bail que je ne suis plus venue manger à la maison, que je devrais passer un de ces soirs, que ça lui ferait plaisir.

Je dois quitter cette voiture sinon je vais vraiment me mettre à pleurer, et je ne pourrai pas l'expliquer. J'embrasse Gabriel, et j'ouvre la portière au moment où Paola sort du magasin. Elle me gronde d'avoir laissé la librairie sans surveillance… « Tout ça pour embrasser ton père… tu n'es pas prudente Juliette ! » Si elle savait, Paola, à quel point je suis la prudence incarnée, à quel point j'en souffre depuis de longues années… Je réponds que j'étais juste à côté, qu'il n'y avait aucun risque, et me surprends à prononcer de telles phrases, une performance digne de l'Actor's Studio pour moi qui n'en pense pas un mot mais qui me suis laissé emporter par le besoin de le rencontrer, lui aussi. Paola me serre dans ses bras, m'embrasse en me traitant une fois encore de belette, me dit qu'elle repassera jeudi, entre dans la voiture. Chacun d'eux me lance un dernier baiser sonore, Gabriel démarre, ils sont partis.

De retour dans la librairie, je suffoque. J'ai besoin de reprendre mes esprits à l'aide de l'un de mes sacs en papier. Le magasin est vide. Je m'assieds. Je respire.

Je ne sais plus quoi penser. Ces deux-là m'ont eu l'air d'un vieux couple complice. Complice de quoi, exactement ? Est-ce lui ? Est-ce elle ? *Êtes-vous mes parents ?* Je me rends compte que je n'ai pas pensé à prélever quoi que ce soit qui pourrait me fournir leur ADN. Je n'allais quand même pas leur arracher une touffe de cheveux… Il était impossible de tenter quoi que ce soit. Chaque chose en son temps. Juliette est à l'hôpital, je l'aide, je préserve son secret. Celui de nos origines existe depuis près de quarante ans, je dois me rendre à l'évidence, même si elle me fait mal : nous ne sommes pas à un jour près, il faut avancer progressivement, ne faire souffrir personne en éveillant des craintes, des soupçons. Ne rien détruire. Juste démêler les fils.

Quoi qu'il en soit, concernant notre échange d'identité, je me rends compte que je viens de passer une épreuve fondamentale et je m'en suis plutôt bien sortie au final. Mon degré de confiance dans notre dispositif remonte en flèche : si les propres parents de Juliette n'ont rien décelé, alors pour les autres ça devrait être du gâteau. *Punaise Romane, il ne faut pas que tu te dises ça… tu dois rester en alerte, ne pas relâcher ton attention.*

Tout le reste de la journée, je ne peux m'empêcher de songer à Paola et Gabriel. Aimerais-je que Paola soit ma mère biologique ? Oui. Au point où j'en suis de ma vie, je crois bien que je prendrais n'importe quelle mère, pourvu qu'elle ne soit ni morte, ni tueuse en série… Est-ce que je ressemble à Gabriel ? Oui, je crois. Un peu, beaucoup ? Moyennement, je dirais. Mais les ressemblances ne sont pas des preuves, loin de là.

Toujours est-il que l'envie, le besoin d'enquêter sur nos origines me ronge de plus en plus. Je ne peux pas parler aux parents de Juliette sans elle, ce serait la trahir. En revanche, je peux enquêter. Je prends la résolution de fouiller dans ses tiroirs, ses placards, ce soir, lorsque j'aurai fermé la librairie. Après tout, Juliette ne me l'a pas interdit.

Je passe l'après-midi dans un état d'assurance vigilante, appliquant à la lettre les consignes de Juliette, jouant avec mes cheveux et lâchant quelques « c'est clair » lorsque je comprends que certains clients sont de vagues connaissances. Globalement les gens sont très gentils, très polis. Plus qu'à Paris, je crois.

Le seul épisode troublant a lieu en fin d'après-midi. Une vieille dame d'apparence respectable passe une bonne dizaine de minutes dans la librairie. Soixante-quinze ans, à vue de nez, mise en plis parfaite, cheveux blancs tirant sur le violet, col Claudine sur pull-over rouge, et collants malgré la chaleur étouffante de ce mardi de juillet. J'ai envie de m'approcher, lui indiquer qu'à son âge, elle risque une phlébite à garder ses jambes enfermées dans une telle fournaise, et que les phlébites peuvent provoquer une embolie pulmonaire puis la mort. Mais je me retiens. Elle semble chercher un livre en particulier, en saisit de nombreux, puis les repose. Je lui demande si je peux l'aider, elle ne répond pas, me sourit. Je ne veux pas trop en dire, je ne sais pas si elle connaît bien Juliette, je ne dois pas me trahir. Je la laisse errer dans la boutique mais la garde à l'œil.

Tandis que je me concentre sur le logiciel de commande, tentant de procurer à un futur étudiant en hypokhâgne un exemplaire de l'*Antigone* de Jean Anouilh (correctement prononcée), j'entends la sonnette tinter et vois filer la vieille dame, bien plus véloce qu'il n'y paraissait. J'ai le sentiment qu'elle attendait que je sois occupée, que je ne la regarde plus, pour faire *quelque chose*. Je la soupçonne d'avoir volé un ouvrage, et cette vision me dérange. Dans mon imaginaire, on ne vole pas

– on ne vole plus – à un tel âge. Peut-être suis-je naïve ? Peut-être est-elle cleptomane ? Peut-être suis-je parano ? Cette dernière assertion est avérée, les autres plus incertaines. Il faudra malgré tout que je sois attentive à ses mouvements si elle décidait de me rendre une nouvelle visite.

À part cet interlude, la journée se déroule sans accroc. Le début de ma mission est un succès. Je dois dire que je suis assez fière de moi.

Alors que je viens de fermer la librairie, je reçois un appel de Juliette. Tout heureuse de lui raconter à quel point je m'en suis bien tirée, je prends place dans l'un des confortables fauteuils Chesterfield, croise les jambes et décroche, le sourire aux lèvres.

Mon enthousiasme retombe aussitôt. Ce que j'entends ne me plaît pas du tout. Juliette est plus essoufflée que la veille. Plus encore que ce matin. Comme si le fait d'être à l'hôpital tout en me sachant en place à Avignon avait libéré ce qu'elle était parvenue à endiguer jusque-là.

Les médecins sont perplexes. Demain sera une journée intense d'examens. L'équipe de l'hôpital soupçonne une accélération brutale de son état. Ils doivent, pour être certains du diagnostic, éliminer toutes les autres possibilités. Je retiens mes larmes. Je dois résister. Lui transmettre des ondes positives. Je lui indique qu'ici tout va bien, que j'ai assuré comme une bête sauvage, aujourd'hui. Ça lui donne envie de rire mais elle n'y parvient pas. Dès le premier soubresaut, elle se met à tousser. Une quinte pénible, douloureuse.

Je ne lui parle pas de ma rencontre avec ses parents, ni de mon envie, de mon besoin de fouiner dans nos vies respectives, je n'en ai pas l'audace.

Juliette m'indique ensuite qu'elle m'a nommée «personne de confiance», un concept que je connais bien. La personne de confiance est celle qui est contactée par les médecins en cas de problème, celle qui porte la parole du malade, si lui ne peut plus parler. Elle est le point de contact unique, celle qui transmet ensuite les informations au reste des proches. Chacun peut nommer qui il souhaite, sans avoir à se justifier. Pour l'hôpital, je suis désormais Laurence Delgrange, la sœur jumelle de Juliette. Elle a préféré me donner une fausse identité, afin d'éviter de se lancer dans d'inextricables explications, et afin de préserver mon anonymat, ma vraie vie. Juliette ne s'est pas trompée de numéro de téléphone, a bien donné le mien, enfin le sien, celui que j'ai entre les mains. Elle me demande juste de changer le message du répondeur, afin qu'il ne mentionne aucun prénom. C'était déjà fait.

Je sens la peur monter en moi, commence à haleter un peu trop vite. Je masque mon malaise, le jugeant grossier face à la souffrance de ma sœur.

Le choix de Juliette est logique puisqu'elle ne veut alerter personne d'autre, mais s'il devait lui arriver quelque chose, je ne pourrais pas assumer d'annoncer la nouvelle à ses proches. Je lui répète qu'il faut impérativement qu'elle leur parle. Si elle ne le fait pas pour elle, elle doit le faire pour eux.

— Je ne te demande pas de leur dire, Romane. Ne t'inquiète pas, je suis sûre que ça n'est pas aussi grave qu'on le pense, que tout va rentrer dans l'ordre très vite. Et s'il le faut... je te promets... que je leur expliquerai. Croix de bois, croix de fer.

Mon cœur se fissure alors que je raccroche.

De retour dans l'appartement de Juliette, j'ouvre tous les placards de sa chambre, tous les tiroirs du salon, mais ne trouve que des vêtements et des papiers administratifs sans intérêt. Dans l'ordinateur de Juliette, je passe en revue quelques dossiers de photos, mais l'ampleur de la tâche m'épuise. Juliette adore la photographie, à en juger par les quelques milliers de clichés numériques qui peuplent ses dossiers. J'observe les images, mais je ne sais pas qui est qui et je ne sais pas ce que je cherche.

En refermant l'ordinateur, une sensation extrêmement désagréable s'installe au creux de mon estomac. Mélange d'appréhension, d'incertitude, et *d'autre chose* aussi. Un goût métallique dans la bouche. Une impression, furtive, mais tenace.

Comme si un éclat de vérité s'était logé quelque part, au cœur même de cette journée. Mais où, et à quel moment ?

Malgré les excellents gnocchis au pesto de Paola, je pleure une bonne partie de la soirée, me demandant à côté de quoi je viens de passer.

Me demandant si ma sœur va mourir, s'il était écrit que nous ne devions jamais nous connaître vraiment.

Si le diagnostic est confirmé, l'issue est imminente.

12

Mercredi

Impromptu n° 1

Je me réveille avec une boule dans le ventre. Je n'ai aucune envie d'ouvrir la librairie. Je voudrais aller retrouver Juliette, l'accompagner dans ces moments difficiles. Mais je sais que je lui suis plus utile ici. Je ne peux pas la trahir. Je suis parvenue à me raisonner, à me dire qu'il faut attendre. Juliette est jeune, elle peut faire partie des survivants. Je dois rester optimiste, garder espoir, l'aider à passer un cap, à se faire à l'idée d'annoncer son cancer à sa famille. Rien que pour ça, ça vaut le coup que je sois là.

La matinée est très calme. Je décide de l'occuper en avançant dans mon enquête. Lorsque ce mot se forme dans mon esprit, j'ai l'impression d'être une sorte d'inspecteur Columbo de pacotille, mais je n'en trouve pas d'autre pour qualifier ce que je suis en train de faire. Je voudrais obtenir mon acte de naissance. Le vrai, puisque je doute de ce que mon père m'a montré l'autre soir. Au cours de mes recherches sur le web, j'apprends qu'il existe deux types d'actes de naissance : les extraits et les copies intégrales, mentionnant ou pas la filiation. Je ne m'en suis jamais préoccupée, je dois bien l'avouer, je n'en ai jamais eu besoin. Pour obtenir le document, je peux en faire la demande par internet, mais cela prend quelques jours, d'après le site. Quelques jours… le calcul est vite fait : le temps que la demande soit traitée, que le document soit préparé et me soit posté (car l'administration ne transmet pas de version électronique), sachant que nous sommes en plein cœur de l'été… j'en ai à vue de nez pour deux semaines. Bien trop long. Psychologiquement, je ne pourrai pas tenir aussi longtemps. Pour l'obtenir plus vite, je peux me rendre dans l'une des mairies d'arrondissement de Paris, ma ville de naissance. Même chose pour Juliette, donc. Je suis à près de sept cents kilomètres de Paris et je me suis engagée à tenir la librairie. Il faudrait que je trouve un moyen de quitter mon poste une journée complète sans éveiller les soupçons. Comment faire, punaise ? Est-ce que je pourrais demander à Paola de me remplacer au magasin ?

Au cours de cette même matinée, j'ai également le temps de me connecter sur le site de l'entreprise belge qui réalise les tests ADN auxquels j'ai souscrit. Mon paiement et les échantillons ont bien été reçus, les résultats seront consultables d'ici quelques jours. Je trépigne d'impatience.

Je me demande ce que fait mon père en ce moment, s'il a essayé de me contacter. Je ne peux pas le savoir, c'est Juliette qui a mon téléphone. Lundi, il a tenté de m'appeler une dizaine de fois, m'a envoyé autant de SMS. J'imagine qu'il a fait la même chose hier. Je n'ai pas osé poser la question à Juliette, elle a d'autres chats bien plus féroces à fouetter en ce moment. Je m'en veux de ne pas donner signe de vie à mon père. Je sais qu'il est aussi parano que moi, qu'il doit s'imaginer le pire. Mais je me dis aussi que ce petit délai pourrait avoir un effet accélérateur : s'il stresse pour moi, peut-être livrera-t-il ses secrets plus facilement. Je dois me forcer à ne pas le contacter avant d'avoir les résultats des analyses génétiques. On ne parle que de quelques jours. Et si vraiment je n'y tiens plus, je passerai un coup de fil à Mme Lebrun, l'air de rien, pour le rassurer et prendre des nouvelles de lui, indirectement.

Entre midi et 14 heures, la librairie est en effervescence. Il y a en permanence une vingtaine de personnes, je suis sollicitée en continu et réalise autant de ventes que la veille en huit heures. Je meurs de faim car je n'ai rien avalé depuis hier soir et rêve de la blanquette de veau qui m'attend dans le frigo. Je réponds par la négative à un texto de Paola m'invitant à dîner le lendemain, reste évasive lorsqu'elle demande si je dîne avec un homme... elle insiste, alors je réponds « oui », parce que j'espère qu'elle me laissera tranquille après ça. Au contraire, mon oui provoque un appel, que je ne prends pas. J'écoute son message entre deux clients, elle rit, est hystérique, veut tout savoir de cet homme, répète trois ou quatre fois d'affilée que c'est formidable. Bon sang, qu'est-ce qui m'a pris de lui dire ça ?

Je suis en pleine discussion avec une cliente de passage qui cherche un guide touristique de la Provence, lorsqu'une voix familière s'élève. Je tressaille. Je ne réponds pas, fais tout d'abord semblant de ne pas avoir entendu, alors que ce qui vient d'être dit est limpide. Quelqu'un vient de m'appeler. Par mon nom de famille, le vrai. Précédé d'un « docteur ».

Je me retourne, je le reconnais immédiatement. C'est l'un de mes patients.

Je suis dans une mouise intersidérale.

Je lui demande un instant, expédie en quelques

secondes la cliente vers le rayon Voyage, et tente maladroitement de m'isoler avec cet homme dont j'ai oublié le prénom mais dont je me souviens qu'il est… ésotérique. Je n'ai en revanche pas oublié son physique, reconnaissable entre mille. Un peu plus jeune que moi, disons trente-six, trente-sept ans. Beau. Très beau. Un métis. Guadeloupéen, je crois, ça me revient maintenant. En même temps que son prénom. Désiré. Ça ne s'invente pas. Désiré ne s'oublie pas car Désiré a un visage, un corps digne des pages slips de *La Redoute* – oui, j'aime bien feuilleter ces pages-là –, une élocution et un vocabulaire parfaits, presque désuets. Et Désiré est aveugle. Il se tient debout devant moi, sourire Ultra-Brite, lunettes de soleil de marque, canne blanche customisée façon street art.

— Bonjour, docteur. Quelle agréable surprise que de vous rencontrer. Que faites-vous ici ? Êtes-vous venue pour le festival ? Pardonnez mon indiscrétion, mais j'ai cru vous entendre donner des conseils de lecture.

Putain de bordel à cul de sa mémé. Je ne sais pas quoi faire. Si je lui dis que non pas du tout il se trompe, et que quelqu'un me sollicite ensuite dans la librairie, ça va créer un incident… J'ai soudain extrêmement chaud, je suis essoufflée, l'hypo-glycémie me gagne. Une cliente vient me parler… je l'ignore ou pas ? Non je ne peux pas. Je demande à Désiré de bien vouloir m'excuser et de patienter un instant. Il me répond : « Mais certainement, avec plaisir. » J'adore sa façon de s'exprimer. Je suis en stress, je suis émoustillée, je suis folle à lier.

J'expédie cette fois-ci la gentille cliente au rayon littérature étrangère, puis je reviens vers Désiré, qui fait face aux livres audio. Même si avec le festival, la ville grouille de Parisiens, le rencontrer ici est inattendu, et c'est surtout un coup dur.

— J'ai oublié votre nom, monsieur…

— Appelez-moi Désiré.

— Désiré. D'accord. Dites-moi… comment… comment m'avez-vous reconnue ?

— Je vous ai vue de loin ! Vous êtes superbe, d'ailleurs. Je plaisante. Enfin, pas sur le fait que vous soyez superbe… Humour d'aveugle, désolé. Je vous ai entendue, bien sûr. Je suis extrêmement sensible aux sons. Je me souviens toujours d'une jolie voix.

Je me rends compte que je suis en train d'entortiller mes cheveux. Ce que je ne fais jamais, à part dans une situation embarrassante. Mais je sais bien que Désiré n'en saura rien. Il continue :

— Vous ne m'avez pas dit ce que vous faites ici… vous avez pris un job d'été en plus du cabinet ?

Il ne peut pas s'en rendre compte, mais lorsqu'il sourit, deux petites rides se creusent le long de ses joues. Non, je suis sûre qu'on lui a déjà dit des centaines de fois qu'il était très beau, que ces petits sillons étaient irrésistibles.

— Je suis ici pour aider une grand-tante afin qu'elle puisse se reposer un peu. Et ça me permet de profiter en même temps du festival.

— C'est tout à votre honneur. Quelle pièce avez-vous vue ces jours-ci ?

Non mais il va me lâcher ? Est-ce que je lui en pose, moi, des questions ? Vite, quelle pièce classique se joue forcément quelque part à Avignon, parmi les centaines de spectacles ? Un truc de Molière. Je tente.

— *Les Femmes savantes*. Vous savez, je ne suis arrivée qu'hier, je n'ai pas eu le temps de voir grand-chose, pour le moment.

— Formidable, et qu'en avez-vous pensé ?

Là, il commence à être lourd. Je dois m'en débarrasser au plus vite.

— Formidable, justement. J'ai beaucoup aimé. Excusez-moi, il y a du monde, j'ai à faire…

— Bien sûr, désolé de vous avoir dérangée. J'adore les coïncidences comme celles-ci. Je veux dire, vous rencontrer ici, aujourd'hui, je ne peux pas m'empêcher de penser qu'il y a… une dimension karmique… N'ayez pas peur je ne suis pas fou, et ce n'est pas l'un de ces plans drague à deux francs… pardon, deux euros…

Il est certes un peu trop bavard, mais ma curiosité pour cet homme qui semble être resté coincé, comme moi, à une autre époque, est attisée. Il continue :

— Je ne sais pas si je vous en avais parlé en consultation, après tout je ne viens que pour des rhumes ou des grippes... mais je suis comédien. Je joue un « seul en scène », un « *one man show* » comme disent les Anglo-Saxons, ici à Avignon. J'aimerais beaucoup vous y convier.

C'est quoi ce plan foireux ? Le mec est un vieux mytho, en fait...

— Je sais ce que vous vous dites... vous pensez que je suis mythomane.

D'accord, il lit dans les pensées, aussi. Romane, méfie-toi, arrête de l'imaginer dans les pages slips de ce foutu catalogue, il risque de s'en rendre compte.

— Acteur et aveugle, c'est « mon aspérité », un créneau qui n'est pas encore occupé. On vient d'abord par curiosité, j'en suis conscient... un peu comme on allait découvrir les monstres de foire, autrefois. J'en suis la version moderne, politiquement correcte. Mon travail, c'est de faire oublier l'aveugle, qu'on ne voie plus que le comédien. Je suis sur scène ce soir. Venez, j'en serais ravi.

Il me tend une invitation. Tout ça a l'air vrai.

— Je... je ne sais pas. Je ne suis pas sûre de pouvoir, mais merci quand même.

— J'insiste. Je vous préviens, je vous ai à l'œil…

Pause. Petit rire. Chaleur, malgré la climatisation.

— Je vous taquine… Ça met bien plus mal à l'aise les voyants que les aveugles, ce genre de phrases. Moi, j'ai eu presque quarante ans pour m'y faire. Je dois y aller, docteur… je me rends compte que je ne connais pas votre prénom, comment vous appelez-vous ?

— Juliette.

— C'est très beau, Juliette. Très théâtral. À ce soir, j'espère, Juliette.

Qu'est-ce qui m'a pris de lui dire que je m'appelle Juliette ? Entre ça et ce que j'ai dit à la mère de la vraie Juliette, on peut dire que je les enchaîne. Cela dit, je constate au bout de trente secondes que j'ai eu raison de donner ce prénom : sitôt Désiré parti, un client un peu lourd me tombe sur le paletot. Il a l'air de très bien savoir que je m'appelle Juliette et essaie lui aussi de m'inviter à dîner. Décidément… j'ai eu plus d'invitations en dix minutes que lors des cinq dernières années. Je suis flattée mais je refuse poliment. Celui-ci n'a pas les atouts de Désiré…

Punaise, qu'est-ce que je raconte ? Je dois me reconcentrer. Je ne suis pas là pour ça, et ce genre de beau gosse n'est pas pour moi. Certes, il est aveugle, mais au bout d'un moment quelqu'un lui dira que je ne suis pas terrible. Alors il me jettera, je déprimerai, me morfondrai, perdrai six mois de ma vie et cinq kilos (bon, ça, ce sera le seul point positif). Je souffrirai telle une vieille groupie en le voyant triompher sur les planches. Autant ne prendre aucun risque.

En formulant cette dernière phrase, je me demande ce qui me fait si peur… Qu'est-ce que je peux bien risquer, moi qui n'ai rien à perdre ?

13

Mercredi

Impromptu n° 2

Je chasse Désiré de mon esprit et cours m'acheter un sandwich à la boulangerie d'en face. J'ai eu tellement faim que j'en ai somatisé, imaginant des douleurs abdominales, une appendicite, une opération en urgence, une péritonite. J'ai en tout cas rêvé d'un jambon-beurre pendant près d'une heure, à défaut de blanquette.

L'après-midi m'épuise. La librairie ne désemplit pas, mais je me rends compte que j'aime vraiment ça, le contact, la petite anecdote, l'écoute. C'est l'un des aspects que j'apprécie le plus dans mon métier de généraliste. Je le retrouve dans celui-ci. Nos vies ne sont pas aussi éloignées que je le pensais. Un même goût pour l'humain, qui s'est exprimé différemment chez Juliette et chez moi, au gré de nos études et environnements familiaux. Si je n'avais pas été poussée par mon père vers la médecine, quelle voie aurais-je choisie ? Peut-être celle-ci, qui sait ?

Vers 16 heures, un homme d'une cinquantaine d'années, cheveux gris sale et tee-shirt assorti, avance vers moi d'un pas pressé, un Post-it vert dans sa main droite.

— C'est vous, la libraire ?

— Oui, c'est moi... bonjour monsieur.

— Dites-moi, il est où votre rayon « trappeurs » ?

— Euh... je n'ai pas de rayon « trappeurs », je suis désolée...

— Mince... mais vous n'avez jamais rien ici... je cherche un livre, vous savez, il est sorti ce mois-ci.

— ...

— Ils en ont parlé dans une émission il y a trois semaines, bon sang, vous ne regardez pas la télé ?

— Euh... non, pas vraiment... mais dites-moi, c'était quelle émission ?

— Je sais plus le nom, mais c'était sur RTL.

— Ah, c'était à la radio alors ?

— Bon, écoutez, madame, si vous ne l'avez pas, vous ne l'avez pas, hein, on ne va pas en faire toute une histoire. Vous pouvez appeler la librairie en face de la mairie pour savoir s'ils l'ont, eux ? La dernière fois, ils avaient le manuel de fabrication de cercueils que je leur demandais, alors que vous, vous ne l'aviez pas…

— …

Flamboyante opportunité d'envoyer un SMS hilare à Juliette. Je ne boude pas mon plaisir et retranscris ce surréaliste dialogue le plus fidèlement possible. Réponse de Juliette sans équivoque : « J'adooooore ☺ ☺ ☺ »

*

La vieille dame étrange revient. Même pull rouge anachronique, même chevelure violacée impeccable, même risque de phlébite, même horaire. Elle passe – comme hier – une dizaine de minutes dans la librairie, prend puis repose de nombreux ouvrages, sourit lorsque je lui propose de l'aider. Et profite d'un instant d'inattention (je suis bien obligée de répondre aux autres clients) pour filer à l'anglaise. Lorsqu'elle passe devant la vitrine, elle marque un temps d'arrêt, presque imperceptible, et me fait un clin d'œil. Ou bien l'ai-je rêvé ? Qui est cette bonne femme, nom d'un chien ? Je me jure de ne pas la lâcher d'une semelle désormais. Si mes prévisions sont exactes, elle reviendra demain, à 17 h 30 tapantes.

18 h 25, j'éteins les lumières et baisse le rideau.

Je suis épuisée mais j'ai prévu de fouiner de nouveau chez Juliette, ce soir. Cette sensation étrange d'être passée à côté de *quelque chose* hier ne m'a pas quittée de la journée. *Quelque chose* que j'aurais vu sans regarder, entendu sans écouter... *quelque chose* d'important, qui aurait accroché mon esprit et ne l'aurait plus lâché depuis. Avant de remonter chez Juliette, je décide de m'octroyer un moment de répit, que j'estime mérité. Je me dirige vers le confortable fauteuil en cuir et m'apprête à m'asseoir, lorsque j'entends de l'agitation à l'étage.

Il y a quelqu'un, là-haut.

Je commence à paniquer. Ma respiration s'accélère. J'imagine tout de suite le pire, bien sûr. Les probabilités pour que je me retrouve face à un voleur, un violeur, un assassin, sont extrêmement faibles, mais tout de même bien trop élevées à mon goût. Je me saisis d'une paire de ciseaux et monte l'escalier qui relie la boutique à l'appartement. Je pense à fuir, mais je me raisonne. Si l'origine de ces bruits n'est pas crapuleuse, ma fuite attirera l'attention, alertera sur un changement de comportement de Juliette, puisque ma sœur ne m'a pas semblé vivre dans un sentiment d'insécurité permanent.

Mon cœur va sortir de ma poitrine.

Respire, Romane. Il y a sûrement une explication.
Est-ce que ça peut être Paola ? Non, elle serait pas-

sée me voir avant, c'est sûr. Juliette ? Elle m'aurait prévenue de son retour. Qui d'autre a les clés de l'appartement ? Le père de Juliette ? Possible, oui. À mesure que j'approche, les sons se font plus nets, plus précis. Je suis terrorisée.

Soudain, j'entends un hurlement d'enfant.

Non, un rire. Punaise, c'est un rire d'enfant.

Je suis soulagée, mais le soulagement ne dure pas. Je comprends ce qui est en train de se passer, car j'entends aussi une voix d'homme.

Marie et Raphaël.

Que font-ils là ? Juliette m'a dit qu'ils étaient à Nice... apparemment ils n'y sont plus.

Je dois faire comme si je les connaissais depuis toujours puisque je suis leur mère et ex-compagne. Mon rythme cardiaque est à son maximum. Je prépare mon visage de surprise joyeux. *Moins crispé, Romane, plus naturel.*

J'entre dans le salon. Une petite furie blonde se rue sur moi en criant « Maman ! », me saute dans les bras, m'embrasse. Je l'embrasse en retour. Elle sent bon. Un léger parfum de vanille et de barbe à papa. Je la repose, jette un œil à l'arrière-plan de cette scène idyllique. Raphaël est un peu moins bien en vrai que sur les photos. Je m'approche pour l'embrasser. Comment embrasse-t-on un ex ? On lui fait une simple bise, standard ? Oui, je crois bien. Combien de bises à Avignon ? Juliette m'en a fait deux, systématiquement. Va pour deux, et sinon j'en serai quitte pour un petit rire gêné.

Marie est déjà partie dans sa chambre. Je note qu'elle est habillée en rose de la tête aux pieds, c'est une manie le rose, dans cette famille. Raphaël a été épargné par l'attaque de la bonbonnière : il porte un jean brut, un polo bleu pétrole assez moulant, me sourit. J'ai un peu exagéré – la jalousie, sûrement –, il n'est pas mal du tout. Des yeux sombres qui lui donnent un air intelligent, un nez fin, les tempes légèrement grisonnantes. Il me sourit, de ces sourires qui tentent de se faire pardonner quelque chose. J'ai peur, car je pressens ce qu'il va me dire. Je ne suis pas tout à fait sotte.

— Juliette je suis désolé, je ne t'ai pas téléphoné mais on est rentrés de Nice en catastrophe. J'ai eu un appel de L'Olympia, ils ont besoin d'un ingénieur du son en urgence pour les quatre jours qui viennent. Si je refuse ça, je vais me mettre à dos pas mal de monde dans la profession… j'ai un train dans une heure. Tu peux garder Marie *pleaaaaaase* ? C'était ta semaine de toute façon… et si tu ne peux pas, peut-être que ta mère peut t'aider ?

La tuile. Géante.

Je ne sais pas quoi dire. Juliette m'a très peu parlé de Raphaël puisque je n'étais pas censée le voir. Je sais juste que leur séparation il y a trois ans

160

s'est plutôt bien passée et qu'elle l'apprécie beaucoup. Elle m'a indiqué ne plus en être amoureuse, mais semblait ravie que leurs relations soient au beau fixe. Chacun d'eux veut le bonheur de Marie, tout se passe en bonne intelligence, m'a-t-elle assuré.

J'ai l'impression d'être prise au piège. Alors c'est ce que je dis.

— Je n'ai pas le choix, apparemment… ça ne m'arrange pas… Tu rentres quand ?

— Lundi.

— Lundi ? Mais tu as dit quatre jours…

— Quatre soirs de concert à partir de demain, ce qui fait que je rentre lundi.

— Tu es vraiment sûr que tu ne peux pas faire autrement ?

— Merde Juliette, ça va… quand tu m'as demandé avant-hier de garder Marie, je t'ai dit oui sans même te demander pourquoi. Si je n'y vais pas, je serai blacklisté par ces producteurs-là. J'aurai beaucoup plus de temps pour garder Marie, c'est certain… mais je ne crois pas que ce soit ce que tu veuilles pour moi, non ?

Il est vexé. L'étau se resserre. Je suis faite comme un rat.

— Ce n'est pas ce que j'ai voulu dire, Raphaël. Je comprends… Bien sûr que je vais garder Marie. Je vais me débrouiller. Pars tranquille.

— T'es la meilleure, merci ma Ju.

Il se penche, m'embrasse d'une seule bise sur une seule joue. Je rougis, me retourne pour masquer mon émotion.

Raphaël dit au revoir à Marie, lui promet que ces quelques jours vont passer très vite. Marie l'enlace, minaude un peu en lançant des « tu vas me manquer, mon papa d'amour » qui me font penser qu'Œdipe a toujours de beaux jours devant lui. Puis elle retourne dans sa chambre, hurlant la chanson phare d'un Disney à base de souveraine glacée, qui pousserait le plus fervent républicain à haïr toute forme de liberté.

C'est ainsi que je me retrouve avec une petite fille rose de cinq ans.

Je sens monter un stress intense, en même temps qu'une grande euphorie.

Après tout, je suis maman pour la première fois.

14

Mercredi

Marie

Depuis quand suis-je hantée par l'envie d'être mère ? Impossible de me souvenir avec certitude d'un quelconque repère temporel. Il me semble que ce désir d'enfant a toujours été en moi.

Petite fille, je jouais à la poupée, comme tout le monde. Je jouais aussi à être enceinte, comme beaucoup. À la maman, qui prenait grand soin de ses bébés. Toujours des filles, et toujours deux. Je n'avais jamais fait attention à cela auparavant, mais mes bambins de plastique allaient toujours par deux. Deux sœurs. Il n'était pas question de gémellité, je ne crois pas. Mais dans mes jeux, j'enfantais toujours un duo inséparable. Je ne crois pas aux coïncidences. Je crois au subconscient, aux traces laissées par les événements du passé. Je crois que je me suis approprié ce que j'ai vécu, blottie contre ma sœur, au cours de mes neuf premiers mois de vie. Je crois que je l'ai intégré, sans même y penser. Il n'y a pas de hasard.

J'ai voulu ardemment être mère. Je n'ai jamais trouvé la bonne personne, et j'ai toujours refusé de me servir d'un homme de passage comme d'un simple donneur de gamète. Peut-être me suis-je trompée. Je considère que toute personne a le droit de donner de l'amour à un enfant, que toute personne est apte à cela. Quels que soient son milieu, sa communauté, sa sexualité, sa religion, ses appartenances. Et peu importe que l'enfant soit naturel ou adopté. Il y a tellement d'adultes et d'enfants qui souffrent. La rencontre de deux souffrances peut donner lieu à de bouleversantes histoires d'amour filial. Ça peut paraître cliché dit comme ça, je me rends compte que j'ai l'air d'une aspirante Miss France en pleine interview un soir d'élection... mais c'est ce que je pense, intimement.

J'ai grandi dans une famille que l'on qualifie désormais de cet affreux adjectif : «monoparentale». Monoparental, ça ne veut pas dire deux fois moins d'amour, au contraire. Ça veut juste dire un seul parent, au quotidien. Deux fois plus de responsabilités pour un seul individu. Je ne me suis jamais sentie capable de monoparentalité. Je n'ai jamais franchi le pas.

Je n'ai pas renoncé, mais je me suis fait une raison. Aujourd'hui, à trente-neuf ans, je découvre que j'ai une nièce, et ce soir – peut-être l'un des seuls de ma vie – je dois me comporter comme sa maman. Prétendre. Faire comme si. Est-ce que j'y arriverai ? Je ne connais rien de rien aux vrais enfants. Face à la jolie Marie, je me sens comme une poule qui a trouvé un couteau. Attirée, bien sûr, mais tellement mal à l'aise.

Marie ne me demande pas mon avis. Elle n'a pas vu sa mère depuis une semaine, elle a du temps à rattraper.

Je prends une dernière grande inspiration, abandonne l'idée de fourrer mon nez dans les affaires de Juliette telle une Sherlock Holmes au rabais, et me lance à corps perdu dans ce qui se révélera l'une des plus belles soirées de toute mon existence.

*

Nous passons quelques instants à discuter, plaisanter. Marie me fait entrer dans son univers. Je m'y sens d'abord intruse, allant de surprise en surprise, puis au fil des minutes, je me laisse aller, je sens que je lâche prise.

Elle m'explique avec une sincère conviction qu'elle a entamé ce qu'elle appelle une « semaine rose ».

— J'ai vu ça sur la chaîne YouTube de Mélanie-Mélodie, c'était trop rigolo… Il faut s'habiller en rose et manger du rose toute la semaine, on n'a pas le droit de prendre une autre couleur, à part un peu de blanc, et du rouge aussi parce que ça ressemble… Tu vas m'aider, maman, hein ?

— Euh… mais ça n'est pas possible de ne manger que du rose toute la semaine. Qu'est-ce que tu as mangé avec papa ?

— Bah, j'ai mangé du jambon, du lait à la fraise, des framboises, des crevettes… il a commandé des sushis aussi… et puis après il a fait des trucs normaux à manger mais il rajoutait un peu de sirop de fraise ou un machin pour colorer… on a mangé une omelette rose c'était trop bien !

Je décide d'aller au plus simple et de sortir avec Marie à la recherche de sushis, moi aussi – c'est rare les enfants qui aiment ça, il me semble. J'ai de la chance, Marie en raffole.

Pendant que nous marchons, Marie me parle d'une activité qu'elle aimerait faire avec moi. Réalisable, à condition que je prenne un Xanax avant de commencer. Je lui parle des risques – évidents – d'une telle entreprise, mais elle me coince.

— Maman, t'es bizarre, des fois… Pourquoi

n'aurait jamais pensé qu'une petite fille serait aussi excitée à l'idée d'aller chez Ikea. Je lui réponds que ma fille est extraordinaire, voilà tout. Marie est aux anges.

Nous passons une bonne demi-heure dans le rayon literie, Marie insistant pour que je refasse «exactement le même coup que la dernière fois». Alors je me cache sous un lit, laisse dépasser un pied, attendant qu'un vendeur vienne me voir. Marie pouffe, en embuscade sur un lit voisin. Lorsque le vendeur se penche et me demande si tout va bien, je lui réponds: «Bien sûr, je me reposais simplement un peu…», puis sors de ma cachette, tape dans la main de Marie, et l'entraîne vers le rayon armoires. Nous en choisissons une bien large, nous positionnons à l'intérieur, tentons de calmer nos gloussements, et patientons quelques minutes. Des bruits de pas, un vendeur vantant les mérites du système PAX, associé aux portes coulissantes HOKKSUND. Marie et moi revêtons un extravagant masque d'aigle déniché au rayon enfants et répondant au doux nom de LATTJO, puis nous levons les bras, et recourbons nos doigts afin d'accroître notre capacité à épouvanter. Lorsque l'armoire s'ouvre sur notre improbable scène de film d'horreur de bas étage, nous lançons un grand rire sardonique. Une grosse dame pousse un cri suraigu, nous traite de tous les noms, on n'a pas idée aussi idiote… alors nous enlevons nos masques, courons à en perdre haleine jusqu'aux ustensiles de cuisine, et reprenons notre souffle tout en nous rejouant la scène, agenouillées derrière une tête de gondole vantant les mérites d'un plat à tarte. Marie est pliée de rire, je n'en suis pas loin, mais nous devons nous éclipser car il me semble que quelques vendeurs nous ont en ligne de mire…

*

De retour chez Juliette, après avoir tranquillement dégusté nos sushis, Marie m'entraîne dans sa chambre. Il est déjà plus de 22 heures mais Marie est en vacances, et j'ai tellement envie de prolonger cette soirée avec elle que j'ai accepté de retarder encore l'heure du coucher. Elle me regarde, un air très appliqué sur le visage. Il n'y a rien de plus sérieux que le jeu, Marie le sait. Elle va me l'apprendre.

Elle me fait asseoir devant une petite troupe de peluches et poupées, disposées les unes à côté des autres. Je distingue un dauphin, une princesse, un petit singe hirsute répondant au doux nom de Kiki, un lapin aux oreilles aussi longues que le corps, un dragon rose et vert, un ours Paddington à chapeau rouge et duffle-coat bleu, une licorne. Marie commence à m'expliquer :

— Alors là il y a deux équipes. Il y a une princesse, elle s'appelle Lisa. Elle est avec Dauphin, elle est dans une prison, avec son petit animal de compagnie Zébulon.

— C'est lequel, Zébulon ?

— Bah maman, Zébulon c'est toujours le même, c'est lui, tu l'as oublié ?

Elle me montre le petit dragon flashy.

— Non, bien sûr... Donc toi tu es cette équipe-là, et moi je suis qui ?

— On dirait que toi tu faisais Kiki... et les autres, là ce serait des gardes.

Elle me montre le dauphin, la licorne, le lapin – Doudou pour les intimes – et Paddington. Elle continue :

— Doudou il s'appelle Chloé dans le jeu, et la licorne elle s'appelle Lalie. C'est tous des gardes et vous voulez voler la princesse, et moi je l'empêche de sortir de la prison.

Cette histoire n'a ni queue ni tête. J'adore.

— Maman, tu sais Lalie, c'est ma peluche préférée, c'est vrai hein, je te dis la vérité, c'est celle que tu m'as ramenée quand tu es allée à Rome avec mamie Paola... c'est ma plus belle peluche... merci maman !

Elle se jette à mon cou, m'embrasse, et passe aussitôt à autre chose.

En fait ce jeu est très facile pour moi, puisque c'est un monologue de Marie. Je l'observe attentivement, lui pose quelques questions auxquelles elle répond systématiquement avec un faux air exaspéré, comme si je l'ennuyais au plus haut point, à ne rien comprendre. Mais lorsque je lui demande si elle préférerait jouer toute seule, elle me répond avec un air sévère :

— Non, pourquoi tu dis ça ? Moi je préfère jouer avec toi ! On continue maman ! Tu m'écoutes ?

— Bien sûr que je t'écoute, ma chérie. Je te regardais, juste… et je me disais que tu étais sacrément belle.

— Ah. D'accord. Mais là tu essaies de voler la princesse avec tes gardes, et ensuite y en a un qui arrive pour me sauver (c'est Kiki), parce que lui, il était amoureux de moi mais il l'avait pas dit aux autres… tu as compris, maman ? Et après… ben après, on verra.

Cette petite fille est magnifique.

Je la connais depuis moins de quatre heures, et je ressens déjà pour elle une tendresse infinie. Comme si mon corps tout entier l'avait reconnue. Marie. Ma nièce. Tu ressembles tellement à ta mère. Tu me ressembles tellement.

Je sens les larmes monter.

— Maman, tu joues ? Allez, tu fais les gardes maintenant, vas-y !

Mes yeux brillent, mais je me mets à rire.

— Qu'est-ce qu'il y a ? Pourquoi tu ris ? C'est pas drôle, je suis la princesse et je vais me faire capturer… On va dire que là Zébulon il s'inquiétait…

Je me ressaisis. Me reconcentre sur cette aventure captivante.

— Elle est où cette prison ?

— Ben elle est là, dans cette boîte.

— Mais elle n'est pas bien là-dedans, la princesse…

— Ben maman, dans une prison on n'est pas bien, hein… Bon, tu mets trop longtemps là, alors on va dire que tous les gens du château venaient, que la princesse se mariait avec Kiki, et qu'on faisait la photo de la fin.

Elle se saisit d'un smartphone de plastique, et mime le geste d'un adulte prenant une photo sur son portable. Je hasarde une question :

— Et après, est-ce qu'ils sont heureux ?

— Bien sûr qu'ils sont heureux. Regarde, ils ont eu un bébé, c'est Zébulon. Ils seront toujours ensemble.

Elle dispose le petit dragon entre ses deux parents. Je retiens mes larmes. Je ne suis pas psy, mais toute cette histoire transpire les messages subliminaux. Je me sens tellement proche d'elle. J'ai tellement envie d'une famille recomposée, moi aussi. Elle m'interrompt une dernière fois dans mes pensées.

— Bon, maman, tu fais le générique maintenant ?

— Non, vas-y fais-le, toi. Tu chantes beaucoup mieux que moi.

Je ne sais pas ce qui m'a pris… son choix se porte bien évidemment sur cette même chanson de reine hurlant le bonheur de sa délivrance.

*

Juste avant de se coucher, Marie me demande de lui lire une histoire – *Les Trois Brigands*, de Tomi Ungerer –, puis réclame un câlin. Je le lui donne avec une indicible joie.

— On s'est trop bien amusées ce soir… Merci, maman. Tu m'as manqué, tu sais. Je t'aime.

— Moi aussi, je t'aime, ma chérie.

— C'est drôle que tu m'appelles ma chérie, tu m'appelles jamais comme ça. Mais j'aime bien.

Oups. Comment faut-il l'appeler, déjà ? Le même surnom que Paola donne à Juliette, je crois.

— Il faut bien changer un peu de temps en temps, non ? Ma belette…

Marie me sourit une dernière fois, j'éteins la lumière et sors de sa chambre.

174

Je suis exténuée. Je me dirige vers le salon et me laisse tomber sur le canapé en velours vert. Cet appartement est très agréable, un peu trop en désordre à mon goût, mais aussi chaleureux que ses habitants. La température est parfaite – je crois que l'alerte canicule a été levée.

J'ai un SMS de Juliette. Je l'ai prévenue de l'arrivée de Marie, un peu plus tôt dans la soirée, m'excusant de ne pas pouvoir l'appeler pour d'évidentes raisons de discrétion. Elle m'a répondu qu'elle comprenait, qu'elle était désolée que Raphaël n'ait pas pu garder Marie... Je lui ai bien sûr demandé comment elle se sentait, et ce que les examens avaient donné.

La réponse vient d'arriver sur mon téléphone :

« Pas la grande forme, mais ça va. Résultats demain, au mieux. »

Puis un deuxième SMS :

« Romane, je voulais te dire... C'est tellement merveilleux tout ce que tu fais pour moi, je ne pourrai jamais assez te remercier... Merci, du fond du cœur. Je vous embrasse toutes les deux. »

Ces derniers mots me bouleversent.

Je lui réponds simplement :

« Juliette, ta fille est incroyable. Elle t'aime à la folie. Elle a besoin de sa maman. Tu nous manques. Reviens vite, ma sœur. »

Cette nuit-là

Dès le premier instant, je sais que je ne pourrai pas l'aimer.

La gémellité est un cancer. Elle a volé mon enfance. Elle s'apprête à voler mon avenir.

Je m'assieds de nouveau sur le sol. Tu es dans mes bras. Je te serre plus fort.

Je laisse l'autre brailler.

Dans ses cris remonte mon enfance tout entière, et avec elle, ses désastres.

*

J'ai été élevé par une mère puissante, une artiste peintre qui accaparait l'attention, prenait toute la place. Mon père – médecin lui aussi, on n'échappe pas à son destin – était d'une discrétion maladive.

Un effacement pathologique. Je n'ai jamais compris comment deux êtres si différents avaient pu s'unir. Je pense que mon père aimait ma mère, l'admirait, la vénérait. Ma mère, elle, aimait l'adoration dont elle était l'objet. Pour le reste, cela lui était égal. Lui ou un autre, peu importait.

Ma mère a phagocyté mon père, bouffé mon enfance. Elle était forte. Dans tous les sens du terme. Tonitruante. J'aurais dû l'être aussi. Mais j'ai toujours eu un physique de premier de la classe à lunettes, souffreteux, frêle. Je sais qu'elle en avait honte. Ma mère exécrait les faibles. Des brimades dans la cour de récréation ? « Tu as bien dû les chercher, et défends-toi mieux que ça ! » Une mauvaise note en classe ? « Mais qu'est-ce que j'ai fait au bon Dieu pour avoir un gosse pareil ! » Une fièvre qui ne passe pas ? « Ce que tu peux être douillet, demande à ton père de te soigner, et laisse-moi donc tranquille avec tes jérémiades ! »

J'ai détesté son exubérance, son égocentrisme forcené, son impudeur, ses rires sonores à la sortie de l'école. J'aurais tellement aimé avoir une mère comme celles de mes camarades de classe.

Ma mère était mon fardeau, mais elle était ma mère. J'ai passé mon enfance à mendier un sourire, une marque d'intérêt. J'en obtenais, parfois. Ils sont stockés dans ma mémoire, toujours vive. Mais la plupart du temps, ce que mon père et moi pouvions faire ou penser, elle n'en avait cure.

Le seul homme qui trouvait grâce aux yeux de ma mère, l'homme de sa vie, c'était son frère. Jumeau. Un jumeau qu'elle aimait d'un amour inconditionnel. Envahissant. Omniprésent. Un jumeau qui passait avant son mari, avant son fils. Qui n'a jamais concédé une quelconque place à d'autres. Mon père et moi, nous n'étions pas de taille. La lutte était inégale, les dés pipés. Il avait plus de trente années d'avance sur nous.

Je me souviens comme si c'était hier de ce jour où j'ai attendu ma mère devant l'école, sous une pluie battante, deux heures durant, en plein hiver. Une gentille vieille dame m'avait recueilli, puis avait appelé mon père, qui était venu me chercher, sans un mot pour cet enfant grelottant au visage ravagé par la peur et les larmes. Ma mère m'avait oublié et mon père restait muet, c'était aussi simple que cela. J'avais huit ans. Ce jour-là, ma mère s'était précipitée auprès de son frère qui n'allait pas bien – son frère a toujours été dépressif, un mal-être qu'il attribuait ouvertement à l'éloignement physique de sa sœur, son mariage, sa maternité. Voir son frère souffrir déchirait le cœur de ma mère, elle courait, elle volait à son secours. Voir son fils souffrir la laissait froide, indifférente. J'ai toujours su que la relation que ma mère entretenait avec son jumeau n'était pas normale. J'ai toujours pensé que la gémellité était une sacrée saloperie.

Lorsque le frère adoré a péri dans un accident de moto, la vie de ma mère a basculé. Et la nôtre avec. Ma mère a sombré dans un profond désespoir. Cela a duré de longues et douloureuses semaines, au cours desquelles mon père et moi nous relayions pour tenter de la distraire, de la relever. Rien n'y a fait. Rien. Un matin, ma mère s'est suicidée. Elle a préféré la mort, l'abandon de son fils et de son mari, plutôt qu'une vie sans son frère. J'avais neuf ans.

Mon père a abdiqué. Avec le recul, je me rends compte qu'il avait déjà abdiqué lorsque ma mère était vivante. À l'époque, je ne l'avais pas perçu aussi clairement. Une année s'est écoulée, au cours de laquelle mon père a assuré le minimum. Je vivais dans un certain confort matériel, je ne manquais de rien. À part d'amour. J'ai tenté de me reconstruire seul, entre le souvenir amer de ma mère et la réalité d'un père qui quittait le domicile dès qu'il en avait l'occasion. Un père passif, que j'ai détesté lui aussi, pour son incapacité à s'occuper de moi, à me donner cette attention qui me manquait si cruellement, depuis toujours. Un père qui n'a tenu qu'une année sans ma mère. Qui a décidé d'en finir lui aussi. J'avais dix ans.

Je me suis retrouvé chez mes grands-parents paternels. Vieux, brisés par le chagrin. Ils ont fait ce qu'ils ont pu. Ils sont restés, eux. M'ont entouré. Ont compensé. Les blessures étaient profondes, je gardais mes distances. Mais je les ai aimés. Mes grands-parents n'étaient ni bavards ni démonstratifs – semblables à mon père, sous de nombreux aspects – mais je sais qu'ils m'ont aimé, eux aussi. On a toujours besoin d'aimer quelqu'un, sinon comment tenir ? Ce qui a rendu la mort de mes parents si insupportable, c'est ma compréhension aiguë de ce que leur suicide signifiait : ils ne m'aimaient pas suffisamment, sinon ils seraient restés. Mes grands-parents m'ont sauvé.

Je me suis toujours dit que le jour où j'aurais un enfant, je serais tout le contraire de mes parents. Je serais un père débordant d'amour, présent, toujours là quand on aurait besoin de lui. J'ai toujours pensé qu'en matière d'amour, trop était bien mieux que pas assez.

Lorsque j'ai rencontré ta mère, j'étais un jeune étudiant en médecine. Je suis tombé amoureux fou de cette jeune femme à la personnalité et au physique aux antipodes de ma propre mère. Elle était tout ce que ma mère n'était pas : d'une finesse désarmante, souriante, douce, attentionnée. Elle m'aimait, m'admirait. Je l'aimais, l'admirais. Cette période a été la plus heureuse de ma vie. Lorsqu'elle est tombée enceinte, j'ai eu le sentiment de vivre un conte de fées, de renaître des cendres de mon enfance.

Le jour de sa mort, j'ai tout perdu. Ma femme, mon amour, mes rêves, mes désirs.

*

Quand je la découvre morte ce jour-là, je vois l'histoire se répéter. La gémellité, si destructrice pour le petit garçon que j'ai été, me saute au visage. Elle est là, de nouveau. Coupable, de nouveau.

Dès la première seconde, je sais que si la grossesse n'avait pas été gémellaire, elle serait encore vivante. Si cette autre n'avait pas été là, ta mère serait encore à mes côtés. Les grossesses gémellaires sont les plus dangereuses. Elles nécessitent une vigilance extrême lors de l'accouchement : les hémorragies de la délivrance sont nettement plus fréquentes en cas de jumeaux. Si j'avais su, je ne l'aurais jamais laissée seule dans cet immeuble désert. Toute ma vie, cette culpabilité sera là. Toute ma vie, ces phrases reviendront hanter mes nuits : «Si je n'avais pas été de garde... si l'immeuble n'avait pas été désert... si le téléphone n'avait pas été coupé... si la grossesse avait été simple... si j'avais su...» Comment aurais-je pu savoir ? La grossesse s'est déroulée normalement. Ta mère a eu le meilleur suivi disponible en France, en 1975. Cinq ans, dix ans plus tard, les progrès et l'adoption fulgurante du suivi échographique l'auraient peut-être sauvée. Ou peut-être pas. L'infaillible n'a jamais existé. N'existera sans doute jamais.

Dès la première seconde, une épouvante radicale, indicible, s'empare de moi. Mes deux filles pourraient s'aimer à l'infini, comme ma mère aimait son frère jumeau, d'un amour si fusionnel qu'il en exclurait tout autre individu, fût-il leur propre père. Je sais à quel point l'univers des jumeaux est impénétrable, la douleur est gravée dans ma chair. Je sais que je ne pourrais pas supporter une nouvelle attaque. J'en crèverais. Je dois rompre le cycle. À tout prix.

Dès la première seconde, la décision est là. Inéluctable. Viscérale.

Je dois agir. Vite.

Je nettoie l'enfant sans le regarder, l'enroule dans une couverture.

Je te replace dans les langes qui étaient prévus pour toi, au chaud, tout contre ta mère.

D'ici un court quart d'heure, je serai de retour, seul.

Avant de sortir avec l'autre dans mes bras, je ne sais pour quelle raison je décide de lui donner un prénom. De la rattacher symboliquement non pas à moi mais à ta mère. Sa mère. Bien sûr elle n'était pas prévue. Elle ne faisait pas partie de notre vie, de nos plans. Elle ne fera pas partie des miens. Mais au fond de moi, une petite voix murmure qu'elle, mon amour, l'aurait peut-être acceptée. Je me souviens du deuxième choix, de ce prénom que moi je n'aimais pas, mais qui plaisait à ta mère. Son choix. Pas le mien. Pas le nôtre. Je griffonne cela sur un petit bout de papier que je glisse sous la couverture épaisse.

Je sors dans le froid et la neige, l'enfant emmitou-flée. Je regarde tout autour et tressaille au moindre bruit, mais les rues sont désertes.

Je sais où aller. Il y a un couvent, à trois rues de chez nous. Je vais déposer l'enfant sous le porche. Je ne crois pas en Dieu, mais j'ai cette image désuète gravée en mémoire : les bonnes sœurs ne refusent pas d'accueillir un bébé abandonné devant leur demeure. Surtout par une nuit pareille.

Je dépose l'enfant à même le sol, je sais qu'il fait un froid extrême, elle ne survivra pas longtemps, il faut se hâter. Je frappe l'immense porte, de grands coups sourds. Je m'éloigne en courant, refermant mon manteau, enfonçant mon visage dans mes épaules et dans un bonnet d'un noir profond. J'ai l'impression d'être dans un film. La terreur me tenaille. Qu'arriverait-il si quelqu'un me voyait ? Nous sommes le 1er janvier 1976, la neige tombe, la température est largement négative, Paris est vide, personne ne me verra.

J'observe de loin. Si rien ne se passait, au bout de combien de temps devrais-je la récupérer ? Quelle autre option aurais-je alors ?

Soudain, un grincement. Je bloque ma respiration,

184

me cache immédiatement. La porte vient de s'ouvrir. Me parviennent un cri de surprise, puis des chuchotements. Plusieurs voix féminines. Quelques pas dans la neige. Aucun qui ne se rapproche suffisamment pour provoquer ma fuite. J'attends quelques instants encore. Je distingue finalement un autre son, feutré. Celui d'une porte qui se referme. L'enfant ne crie plus. Le silence s'installe. Définitif. Je passe de nouveau la tête au-delà du coin de rue dans lequel je suis dissimulé. La porte est close, l'enfant a été recueilli.

Je me mets à trembler. Violemment. De froid. De peur. D'horreur.

L'horreur de ce que je viens de faire s'abat sur moi, subitement. La culpabilité, aussi. Les sanglots jaillissent. La tension accumulée ces dernières minutes me submerge. Je ne suis plus sûr d'avoir pris la bonne décision.

Je respire, me reprends. Je convoque l'image de ma mère, morte d'avoir trop aimé son jumeau, et mes larmes s'arrêtent. J'ai fait ce qu'il fallait, je le sais.

Petite fille, je te souhaite une belle vie. Moi, je ne peux pas te la donner. Je ne peux pas.

Je dois me dépêcher, maintenant. Je n'ai plus le temps de réfléchir.

Je cours dans la neige, l'angoisse monte à mesure que je gravis les étages de notre immeuble toujours désespérément désert.

Je te lave, t'enroule dans des couvertures. Les plus belles que je trouve.

Je m'allonge à côté de ta mère, et t'installe, toi, notre fille, entre nous, dans le creux de son bras à elle. Je sais que ce sera la seule et unique image de nous trois réunis. Je voudrais que ce moment dure toujours. Je serre ta mère. Je l'embrasse. Lui dis au revoir. Adieu. Je ne sais plus combien de temps je reste comme cela.

Mon cœur, mon corps, mon esprit, tout est détruit, consommé.

Avant de quitter l'appartement, j'ai la présence d'esprit d'emmener avec moi le placenta coupable que je jetterai dans une poubelle anonyme. Effacer les traces. Réécrire.

Je débarque avec toi à l'hôpital, expliquant ce que je viens de vivre. Les sanglots, l'horreur de la situation remontent peu à peu. Je suis arrivé chez moi, ma femme était morte. Hémorragie de la délivrance. Je n'ai rien pu faire. Le téléphone était coupé, j'ai dû affronter cette situation seul. J'ai pris le temps de la nettoyer, de rendre sa dignité de femme à celle que j'ai tant aimée. Je me suis occupé de ma fille, aussi. Puis je suis venu ici. Fin de l'histoire.

Des confrères – obstétricien, légiste – examineront avec bienveillance le corps de ta mère et parviendront aux mêmes conclusions. Personne ne questionnera jamais ma décision de laver son corps, de *m'occuper moi-même de son placenta. À l'hôpital, je ne suis pas un patient lambda. Je suis un collègue. Tous savent que j'ai passé la journée avec eux. Tous comprennent ma souffrance, ma peine, mes gestes. Tous soutiennent mes décisions. Prises dans l'urgence par un homme, médecin, en train de perdre sa propre femme. Démoli par le chagrin.*

Personne ne questionnera jamais ma version des faits. Aussi implacable que douloureuse. Un concours de circonstances, terriblement banal.

Aussi banal que la mort.

Ma version des faits devient la seule, l'unique vérité.

Jusqu'à ce que je la réinvente.

15

Jeudi

Impasses

Ce matin, Marie est avec moi dans la librairie. Paola doit passer la chercher vers 11 heures. Marie est une enfant très calme, mais elle est aussi très bavarde. Je sais que les après-midi à la librairie sont nettement plus animés, il me sera difficile de garder un œil sur elle. Et il est inconcevable de ne pas la surveiller en permanence. Que se passerait-il si elle échappait à ma vigilance ? Un enlèvement, un accident... je ne veux même pas y penser. Et puis, même si j'adore cette petite fille, je caresse secrètement l'espoir que Paola accepte de la garder jusqu'à samedi matin.

Toute la nuit, j'ai repassé dans ma tête les scénarios possibles concernant nos origines, et ce que je suis autorisée à faire sans l'accord de Juliette – ou du moins ce que je m'autorise à faire. J'ai envie de parler aux parents de Juliette, de tout leur livrer sans filtre, de les questionner sans relâche jusqu'à ce qu'une vérité perce. Mais je sais que c'est impossible. C'est à Juliette de leur poser toutes les questions qui me brûlent les lèvres, je ne peux pas lui enlever ça. Si elle posait des questions à mon père à ma place, je crois que je ne pourrais pas le supporter. Notre pacte est un pacte de stabilité émotionnelle. La mission que j'ai acceptée, c'est la préservation de la joie de vivre de la famille de Juliette, en attendant d'y voir plus clair sur son état de santé. Si je franchis la ligne, je sais que je détruirai tout. La confiance qu'elle a placée en moi, notre amour naissant mais déjà si présent, ses espoirs, sa vie. Il va falloir me raisonner, patienter encore quelques jours. Après trente-neuf années, on pourrait penser que ce n'est rien, mais pour moi, c'est une éternité…

En revanche, je sais que deux choses me sont accessibles. La première, c'est de faire parler mon père, cette fois-ci en m'y prenant calmement, posément. En arrondissant les angles, en m'excusant de mes paroles de l'autre soir, qui l'ont fait sortir de ses gonds comme jamais auparavant. Pour avoir une conversation d'une telle importance, le téléphone est tout bonnement exclu : je dois me rendre à Paris. Alors j'en profiterais pour y faire la seconde chose : réclamer nos actes de naissance, à Juliette et moi. Dans deux mairies d'arrondissements différentes, munie de nos pièces d'identité respectives – Juliette m'a laissé sa carte d'identité, juste au cas où… elle ne croyait pas si bien penser. Ça ne fait que quatre jours que j'ai rencontré ma sœur, mais attendre un jour de plus pour tenir ces si précieux documents entre mes mains, désolée Juliette, je ne peux pas. Je vais fermer la librairie demain. Une toute petite journée pour en apprendre tellement plus. Pour balayer certaines hypothèses d'un revers de tampon administratif. Pour soulever le voile opaque posé sur nos vies, s'en émerveiller ou en mourir. Pas seulement pour moi, pour nous deux. J'espère qu'elle le comprendra. Je lui expliquerai ce soir, au téléphone. Ou pas. Je n'ai pas encore décidé. Je ne suis pas sûre de vouloir lui causer un quelconque stress additionnel. Peut-être vaut-il mieux que je l'informe de mes démarches à mon retour de Paris. Lorsque j'en saurai davantage.

Marie est assise au bureau d'écolier du rayon Jeunesse, elle dessine en chantonnant – encore et toujours la même ritournelle. Elle est heureuse, ça se voit. Je crois que je pourrais passer des heures à la contempler si je n'avais pas d'autres pensées bien plus obsédantes tournant en boucle dans ma tête.

Vers 10 h 30, la vieille dame entre dans la librairie. Même rituel que les jours précédents, avec quelques heures d'avance sur mes prévisions. Je l'observe, elle me sourit. Après quelques minutes, Marie redresse la tête. Elle lance un «Bonjour, madame Racine», et reçoit en retour un chevrotant «Bonjour, Marie» qui me paralyse.

Marie et cette femme se connaissent. Je suis donc supposée la connaître, c'est évident. Moi qui l'ai considérée comme une étrangère depuis deux jours. Marie vient faire une bise à Mme Racine, puis retourne à ses activités.

Mme Racine s'avance. Son sourire est différent, plus énigmatique. Elle me fait signe d'approcher, se penche vers mon oreille, et me glisse en chuchotant :

— Je sais que vous n'êtes pas Juliette.

Ai-je correctement entendu ? Je suis pétrifiée. Je jette un coup d'œil vers Marie. Elle est absorbée par son dessin et ne prête pas attention à notre échange. J'essaie de balayer ce que Mme Racine vient de me dire d'une boutade.

— J'ai peut-être un peu grossi, c'est vrai... mais ça n'est pas très sympathique de me le faire remarquer de la sorte, ha ha... Qu'est-ce que je peux faire pour vous, madame Racine ?

— Vous n'êtes pas Juliette, et je sais qui vous êtes. Je n'en soufflerai mot. Je voulais juste vous dire que c'est formidable, ce que vous faites pour votre sœur. Je suis certaine que Dieu vous le rendra.

Je dois me tenir à la table des polars pour ne pas défaillir. Je continue de chuchoter. Il me faut abréger cette conversation.

— Dieu n'a rien à voir dans tout ça, madame Racine. Et je ne sais pas de quoi vous parlez. Maintenant, je suis désolée, mais j'ai quelques commandes à passer.

— Bien sûr, je ne voulais pas vous déranger. Avec moi, votre secret est bien gardé, ne vous inquiétez pas. Je connais Juliette depuis des années, vous savez. C'est une merveilleuse jeune femme. J'espère de tout mon cœur qu'elle s'en tirera.

Je reste sans voix, et Mme Racine repart.

Comment cette femme a-t-elle pu savoir ? Personne, pas même la propre mère de Juliette, ne s'est rendu compte de la supercherie. Je suis secouée, retournée, déstabilisée. La confiance que j'avais acquise au cours de ces premiers jours vient d'être atomisée. Si Mme Racine sait, alors d'autres peuvent savoir aussi. Quelle erreur ai-je bien pu faire ? Je lui ai parlé trop vite, c'est ça… je l'ai vouvoyée, l'ai traitée comme une cliente lambda, alors que c'est une habituée. J'ai merdé, gravement. Ou bien… Juliette aurait-elle pu se confier à cette femme ? Peut-être, mais dans ce cas pourquoi ne m'en aurait-elle pas avertie ? Je dois en avoir le cœur net. J'envoie un SMS à Juliette, lui demandant si elle a parlé avec Mme Racine de notre petit arrangement. J'attends quelques secondes… La réponse ne sera pas immédiate. Bien sûr, Juliette n'est sûrement pas pendue à son téléphone. J'espère qu'elle va bien, ce matin.

Marie s'approche. Je respire un grand coup.

— Ça va, maman ? Tu as l'air bizarre.

Romane, reprends-toi, nom d'un chien.

— Bien sûr, ça va très bien, ma belette. Et toi, qu'est-ce que tu fais ?

— Tiens, c'est pour toi.

Elle me tend un dessin, représentant la scène jouée hier soir : je reconnais un petit dragon, enroulé dans les bras d'une princesse et d'un petit animal, Kiki sans doute.

— Merci, mon amour. Qu'est-ce que c'est beau ! Tu avais raison hier, ils ont l'air heureux avec leur petit bébé dragon.

Pas de réponse. Elle est déjà passée à autre chose.

— Maman, est-ce que Mme Racine a déposé une lettre aujourd'hui ?

De quoi parle-t-elle ? Mme Racine est-elle factrice ? Un peu âgée pour ça, me semble-t-il.

— Je… je ne sais pas ma chérie.

— Viens, on va chercher ! Elle a touché quels livres ?

Marie me prend par la main. Je lui indique l'allée que Mme Racine a empruntée, et elle se met à sortir les livres des étagères, un à un. Elle les ouvre à la première page, puis les repose. Elle est très excitée. Je m'apprête à lui demander ce qu'elle mijote, mais elle me devance :

— Tu te rappelles, la lettre qu'elle avait mise une fois dans un gros livre de photos de Paris ? Moi, je trouve que Mme Racine elle écrit de belles choses. Des fois c'est des phrases un peu trop compliquées pour moi mais quand même… Aaaaaaaahhh !! Y en a une là !

Marie vient d'extraire une petite enveloppe d'un exemplaire de *Mrs Dalloway*, de Virginia Woolf. Elle me la tend, me demande de l'ouvrir sans la déchirer, Mme Racine n'aimerait pas ça, il faudra la remettre à sa place après l'avoir lue.

Je décachette délicatement l'enveloppe, et commence à lire à voix haute.

À mesure que je progresse, mes cordes vocales se serrent.

Vous ne saurez jamais que votre âme voyage
Comme au fond de mon cœur un doux cœur adopté
Et que rien, ni le temps, d'autres amours, ni l'âge
N'empêcheront jamais que vous ayez été ;

Que la beauté du monde a pris votre visage,
Vit de votre douceur, luit de votre clarté,
Et que le lac pensif au fond du paysage
Me redit seulement votre sérénité.

Vous ne saurez jamais que j'emporte votre âme
Comme une lampe d'or qui m'éclaire en marchant ;
Qu'un peu de votre voix a passé dans mon chant.

Doux flambeau, vos rayons, doux brasier, votre flamme
M'instruisent des sentiers que vous avez suivis,
Et vous vivez un peu puisque je vous survis.

Marguerite Yourcenar, *Vous ne saurez jamais*

Je revois Mme Racine déambuler dans la librairie puis repartir sans rien acheter. Je l'ai prise pour
une voleuse, elle est en réalité un passeur de poésie, un héraut de la littérature, déposant de bouleversantes offrandes au cœur des livres. Je n'ai
jamais vu cela, mais j'imagine les petits bouts de
bonheur que ces dons anonymes procurent aux
lecteurs, surpris, amusés, émus peut-être, intrigués
sûrement. La vie de Juliette regorge décidément de
surprises.

Cette missive m'est destinée, j'en suis certaine.
Mme Racine sait pour Juliette et moi. Si j'avais

encore un doute, ce poème vient de le lever. Le dernier vers, surtout. Mme Racine est-elle envoyée par Juliette elle-même, afin de me faire réfléchir de nouveau à sa proposition de prendre sa place définitivement s'il lui arrivait quelque chose ? Juliette se sent-elle plus proche de la fin qu'elle ne l'a laissé paraître ? Je jette un œil à mon portable. Toujours pas de réponse.

Marie sent mon émotion mais est à dix mille lieues de comprendre ce qui est en train de se jouer.

— Ben c'est pas le mieux celui-là, hein ? Des fois c'est des trucs rigolos qu'elle met Mme Racine, mais là c'était pas terrible…

Je n'ai pas le temps de réfléchir. Je remets la lettre dans l'ouvrage de Virginia Woolf, ferme les yeux, bois un verre d'eau.

Lorsque je le repose, je vois arriver – ô horreur – Paola et Désiré.

En simultané.

Ils se font même des politesses pour savoir qui entrera le premier.

Chacun s'approche de moi.

Je remercie le ciel d'avoir indiqué à Désiré que je m'appelais Juliette. J'ai toutefois une peur bleue de l'entendre m'appeler « docteur », là, devant la mère de la vraie Juliette. Je dois les isoler l'un de l'autre, les devancer, et ne surtout pas appeler Paola

« maman », puisque je suis officiellement chez une grand-tante, et qu'il est facile de savoir que ma mère est décédée... De nombreux patients sont au courant, je ne pense pas que Désiré en fasse partie, mais je ne peux pas me permettre de courir ce genre de risque.

Je m'approche de Paola en premier, lui fais un rapide baiser et lui indique que je dois m'occuper de ce client. Elle me donne un coup de coude en me disant qu'il n'est pas mal du tout ce client, est-ce que c'est lui, mon rendez-vous de ce soir ? Mince, c'est vrai, je suis censée avoir un rendez-vous. Je lui réponds qu'il a été annulé, et que de toute façon je dois garder Marie – alors même que je prévoyais de lui demander de la garder une journée de plus. Quand je suis perdue, je fais n'importe quoi. Et là, clairement, je panique. Je dois impérativement éloigner Paola de Désiré. Je pousse Paola vers sa petite-fille. Elle ne se fait pas prier puisqu'elle ne l'a pas vue depuis une dizaine de jours et la réclamait déjà il y a quarante-huit heures.

Je reviens vers Désiré, le salue tout en lui faisant sentir que je suis pressée. Lorsqu'il parle, ses yeux – dissimulés sous des lunettes de soleil à contour bleu – regardent légèrement au-dessus de moi. Comme si son subconscient m'imaginait plus grande que je ne le suis. *Il y a beaucoup de choses chez moi qui ne seraient pas à la hauteur si tu les voyais, crois-moi...*

— Vous n'êtes pas venue, hier soir, je me trompe ?

— Non, vous avez raison. J'ai eu... un petit contretemps. Mais je viendrai, ne vous inquiétez pas.

— Ce soir ? Venez ce soir, je vous en prie.

— Oh, ce soir ça va être difficile... je dois garder...

— Mais pas du tout ! Elle est libre comme l'air, ce soir !

Paola vient de s'immiscer dans la conversation. Cette ingérence soudaine est extrêmement désagréable, mais elle est surtout dangereuse. Il suffirait d'un « docteur » ou d'un « ma fille » malencontreux pour créer une véritable explosion nucléaire. Je dois répondre à Paola, mais je ne peux ni l'appeler Paola, ni maman... j'ai l'impression de jouer à « ni oui ni non »...

Paola continue :

— Je garde Marie, ce soir ! On a plein de choses à se raconter, on va se faire une bonne soirée rose entre filles, d'accord mini-belette ? Juliette, sois tranquille, profite de ta soirée avec monsieur...

Je suis dans une impasse, de nouveau. Je dois faire cesser ce dialogue à haut risque au plus vite. Un éclair de lucidité me traverse.

— Très bien… Marie ira dormir chez toi. Mais je ne pourrai pas passer la chercher demain… Est-ce que tu pourrais la garder jusqu'à samedi matin ?

Explosion de joie de ma nièce et de sa mamie, acquiescement hilare de Paola, danse de la victoire de Marie.

— Et je viendrai vous voir en spectacle ce soir, Désiré.

Sourire en coin de Paola. Elle ne sait pas que j'esquiverai, et lui non plus. L'essentiel en cet instant, c'est que tout le monde y croie et que l'on mette fin à cette périlleuse conversation.

Désiré s'adresse à Paola, s'incline d'une sorte de révérence, le visage éclairé d'un immense sourire.

— Je crois que je dois vous remercier, madame. Votre intervention arrive à point nommé…

— Tout le plaisir est pour moi, cher monsieur. D'autant que vous avez un très joli prénom. C'est toujours un bonheur de voir Juliette en si bonne compagnie.

Elle me fait un clin d'œil extrêmement explicite et éclate d'un rire sonore. On dirait que c'est elle qui le drague… Il fait semblant de s'excuser. Son sourire est à tomber, Paola n'a pas tort.

— J'ai un peu l'impression de vous avoir forcé la main, Juliette… Pour me faire pardonner, je vous invite à déjeuner !

Non mais et puis quoi encore ?

— Non merci, c'est très gentil, mais je dois rester à la librairie, nous sommes ouverts non-stop en ce moment.

— Mais ne t'inquiète pas !! Ce que tu peux être rasoir, parfois… Marie et moi allons garder la boutique, *tesoro*, le temps que tu ailles déjeuner avec monsieur. Regarde, il n'y a personne, on va très bien s'en tirer, hein Marie ?

Marie acquiesce. Paola est une plaie, en fait. Elle est très forte. Je suis au pied du mur, et il faut vraiment que j'éloigne Désiré, sous peine de dérapage incontrôlé.

J'accepte donc, à reculons, cette invitation dont je me serais bien passée. D'autant que cela fait une éternité que je ne me suis pas retrouvée en tête à tête avec un homme, sans mon stéthoscope autour du cou.

Je regarde mon téléphone avant de sortir. Près d'une heure, et je n'ai toujours pas de réponse de ma sœur.

Je sais bien que c'est encore un délai très raisonnable, mais le joli sourire de Désiré n'apaise pas l'inquiétude sourde qui commence à envahir les replis sombres de mon cerveau.

16

Jeudi

Naissance d'un pont

Nous avançons dans les rues avignonnaises, et mon embarras est ostensible. Je n'ai plus déambulé à côté d'un homme depuis des siècles, je ne sais pas quoi lui dire, je n'ai aucune envie d'être là. Dans d'autres circonstances, j'aurais sûrement apprécié la compagnie de Désiré, mais le moment est totalement inapproprié. Mon esprit est tourné vers mon départ pour Paris ce soir, ma conversation à venir avec mon père, et vers Juliette. J'ai gardé mon smartphone à portée de main, et le consulte sans cesse, car le mutisme de ma sœur m'inquiète.

Désiré se dirige parfaitement bien dans les rues de la ville, pourtant très encombrées. Sans cette canne blanche-pas-vraiment-blanche, ni ce port de tête altier propre aux aveugles, j'ai le sentiment que son handicap serait indécelable. Désiré sourit, me lance quelques banalités sur le temps qu'il fait, la chaleur, l'ambiance d'Avignon si particulière à cette période de l'année, son amour du festival, son amour du théâtre. Mes réponses sont on ne peut plus courtes. Mon objectif est simple : mettre un terme à ce rendez-vous.

— Écoutez, Désiré. Je ne sais pas si vous êtes en train de me draguer, mais je ne suis pas intéressée. Je n'ai… pas la tête à ça. Alors s'il vous plaît, faisons semblant d'avoir déjeuné ensemble, et arrêtons-nous là. Ce sera bien mieux pour tout le monde.

Il s'arrête. Me fait face. Me sourit, se penche légèrement.

— Écoutez, Romane… car vous vous appelez bien Romane, n'est-ce pas ?

Il marque une pause. Je sens le sang battre mes tempes. Je me mets à trembler. Je m'apprête à intervenir, mais il me devance :

— Vous aviez l'air… bizarre, hier. Et j'avais un souvenir assez lointain d'un prénom… différent de celui que vous m'avez servi. Je suis curieux de nature, j'ai donc cherché une vieille ordonnance établie par vos soins, un ami me l'a gentiment lue, et a confirmé mon intuition. Vous n'avez pas nié être mon médecin généraliste, c'est donc que vous l'êtes, *a priori*. En revanche vous m'avez donné un faux prénom. Non, ne dites rien… laissez-moi poursuivre, s'il vous plaît.

Je suis totalement paralysée. Je ne sais que répondre. *Réfléchis, punaise, réfléchis.* Il continue :

— J'ai eu l'impression que vous essayiez de m'éloigner de votre grand-tante tout à l'heure… ou bien était-ce votre mère ? Étant donné la teneur de votre conversation, j'ai eu le sentiment que la petite était votre fille, et que l'Italienne était votre maman… Bref, tout ça pour vous dire que… je ne sais pas ce que vous cachez exactement, mais je suis sûr que vous dissimulez quelque chose. Et je suis très intrigué. Positivement. J'aime les actrices vous savez, qu'elles soient professionnelles ou qu'elles jouent… en amateur. J'adore l'idée que vous soyez tour à tour médecin, libraire, parisienne, avignonnaise, Romane ou Juliette. Tout cela est diablement excitant. Je promets de ne rien dire. Si vous honorez nos rendez-vous, bien entendu.

Je suis sidérée. Je me suis jetée dans une souricière toute seule. Je ne vois pas comment en sortir. Le problème majeur, c'est que j'y ai entraîné Juliette et ses silences. Soudain, l'évidence me saute aux yeux : ce que fait Désiré est odieux, il n'y a pas d'autre mot. C'est du chantage, pur et simple. Je ne vais pas céder à cet insupportable « si vous honorez nos rendez-vous »… Je ne suis pas prête à tout pour préserver ce secret, je ne vais pas me prostituer, que croit-il ? Je le lui dis, tel quel, avec ces mots.

— Ouh là, on se calme… Ne vous méprenez pas sur mes intentions. Non, ce n'est pas du chantage… Après tout, vous avez dit oui à mes invitations sans couteau sous la gorge. On a tous une part d'ombre, un jardin que l'on souhaite tenir à l'abri des regards, rendre inaccessible. Je le respecte, profondément. Je sais que vous n'êtes pas tout à fait celle que vous prétendez être, et ça me va. Je voulais que vous sachiez que je vous apprécie. Je vous appréciais déjà lorsque nous étions médecin et patient, mais je n'avais jamais osé vous l'avouer, voilà tout. Je me suis simplement dit que se rencontrer par hasard à Avignon était un signe, qu'il fallait que je me lance, que je vous invite… Je me suis trompé. Si ma compagnie vous rebute à ce point, je m'incline. Je ne vais pas mendier votre temps, votre attention, je ne l'ai jamais fait et ne le ferai jamais. Ne vous inquiétez pas, je ne vous contacterai plus. Et je changerai de médecin, promis. Au revoir, docteur.

Il s'éloigne. Il part. Punaise, il part vraiment. Il est vexé. Il est beau. Il m'attire. Il ne me rebute pas, bien au contraire. C'est juste que… c'est juste que ça n'est tellement pas – mais tellement pas – le moment… Oui mais quand, alors ? J'ai trente-neuf ans, je suis désespérément seule, le monde entier m'a menti sur ma vie, ma sœur jumelle va peut-être mourir… quand est-ce que je jugerai le moment suffisamment opportun pour commencer à vivre ?

— Attendez !

Je viens de hurler. Il s'immobilise. Se retourne, mais n'avance pas. C'est à moi de faire un pas vers lui. Symbolique, autant que physique. Je le fais.

— Désiré… je suis désolée. Je ne voulais pas… je suis extrêmement maladroite, veuillez me pardonner. Si j'ai accepté ce… rendez-vous… c'est aussi parce que j'en avais envie.

Un temps. Il me fait face. Avance ses mains. Saisit les miennes.

— Vous tremblez, Romane. C'est bien Romane, n'est-ce pas ?

— Oui.

— Vous tremblez… Pour moi, c'est un indicateur de sincérité. Ça va vous paraître étrange, mais nos mains nous trahissent tout autant que nos voix. Elles ont une vie autonome, nos mains. On peut les contrôler, bien sûr… mais elles sont aussi le siège de nombreuses émotions. La vôtre me semble honnête. Je suis heureux que vous acceptiez d'entrouvrir légèrement cette armure qui vous protège… mais qui vous barre l'accès à certains êtres humains… et à certains sentiments. Je crois que vous y avez droit.

Nous sommes si proches que j'ai l'impression qu'il va m'embrasser. J'ai l'impression que je me laisserais faire. Il ne bouge pas, évidemment. Mais quelque chose vient de se passer, là, au milieu de cette foule bruyante. Quelque chose de l'ordre de l'électrique, du minéral.

Je souffle un grand coup et je me mets à rire. Comme si une digue cédait soudain. Désiré rit aussi, garde ma main dans la sienne, me lance : «J'ai une idée», et m'entraîne à sa suite. Il semble très bien savoir où il va, sa cécité ne l'empêche pas de se déplacer à une vitesse que j'ai moi-même du mal à suivre.

Nous nous frayons un passage à travers les ruelles, et je crois que je prends conscience pour la première fois de la réalité du festival d'Avignon. Jusqu'à présent je n'avais prêté attention à rien. En fendant la foule avec Désiré, je prête attention à tout. Mes sens, trop longtemps assoupis, s'extraient de leur torpeur.

Il y a, dans les rues d'Avignon, des milliers d'affiches de spectacles, placardées partout : sur les murs, sur les lampadaires, sur des fils de nylon tendus entre deux immeubles, sur les devantures des magasins. Une fabuleuse mosaïque, éclatante de couleurs, slogans accrocheurs et blagues potaches. Cohérente avec la joyeuse agitation, les chants, les rires, les applaudissements qui enflamment, envoûtent la ville entière. Ce qui me frappe, c'est que les gens autour de moi ont l'air heureux. Avignon, en juillet, est une bulle de théâtre hors du temps. L'espace de quelques heures ou quelques jours, chacun met le reste de sa vie entre parenthèses pour recevoir ou administrer une intraveineuse d'allégresse. Les infirmiers sont les comédiens, jouant en pleine rue des morceaux choisis, afin d'attirer leurs patients-spectateurs vers leur représentation du jour. La dose est forte, la décharge d'adrénaline intense, l'effet immédiat, visible.

Je demande à Désiré si lui aussi se prête à ce petit manège, finalement fort sympathique, pour convaincre les chalands de venir le voir. Il me répond – pratiquement honteux – qu'il n'en a pas vraiment besoin, qu'il affichait complet dès le début du mois de juillet, le buzz ayant été assez important autour de son spectacle parisien, la saison passée. *Punaise, je suis donc la seule à ne pas savoir qui est cet homme ?* Maintenant qu'il me dit cela, j'interprète différemment les regards des passants… et des passantes. Je trouvais que l'on nous fixait parfois avec insistance. J'avais mis cela sur le compte de ce voyeurisme qui veut que l'œil soit attiré par toute personne sortant de l'ordinaire. Rien n'attire plus les regards que les invalides, les trisomiques, les personnes présentant une malformation congénitale, un handicap visible. Je réalise subitement que si Désiré attire autant les regards, ça n'est pas simplement parce qu'il est aveugle. C'est aussi parce qu'il est célèbre. Enfin, célèbre, je ne suis pas sûre, disons un peu connu dans le milieu du théâtre, à ce que je comprends.

— Votre main se crispe, Romane… J'ai bien compris que vous n'avez aucune idée de ce que je fais en tant qu'artiste… c'est parfait. C'est justement l'un de mes critères de sélection. Je plaisante, bien sûr. Quoique. J'aimerais beaucoup que vous pénétriez mon univers, voilà pourquoi je vous ai invitée ce soir.

Il ralentit. Cet homme est loin d'être ordinaire.

— Nous sommes arrivés, Romane !

Je regarde autour de moi. OK… nous sommes sur un pont. Désiré s'assied sur un banc banal de ce pont banal. Des voitures banales passent derrière nous.

— Ne faites pas cette tête que j'imagine que vous faites… je sais ce que vous êtes en train de vous dire… ce mec est complètement frappa-dingue, il m'invite à déjeuner et il m'emmène sur un pont qui n'est même pas le fameux pont d'Avignon.

— Je dois dire que le lieu… est… comment dire ? Original, oui. Et nous n'avons rien à manger, ce qui pour un déjeuner est un peu déroutant, vous en conviendrez.

— Détrompez-vous ! J'ai dans mon sac à dos de quoi nous faire des sandwichs, deux bières et de l'eau. Nous avons tout ce qu'il nous faut.

Je ne suis pas sûre qu'il ne soit pas complètement fou finalement…

Je m'assieds sur le banc, ferme les yeux, essaie de lâcher prise, mais le bruit des véhicules passant à deux mètres de moi est assourdissant. Et puis, une sortie de route est si vite arrivée. Désiré commence à préparer les sandwichs. Il me tend une bière, et la lève.

— À notre rencontre, Romane.

— À notre rencontre. Mais… pourquoi m'avez-vous emmenée sur un pont, si je peux me permettre ?

— Parce qu'il n'y a rien de mieux qu'un pont…

Silence. Flottement.

— Je devine votre air incrédule, laissez-moi vous expliquer, Romane. Un pont, c'est un concentré de vie. Il y a tout, dans un pont. La possibilité de choisir un chemin ou son exact opposé, le tumulte de la vie humaine bien sûr, et, à quelques mètres en dessous, la puissance de la nature, le fleuve qui peut nous emmener plus loin encore. Ailleurs. Sur un pont il y a la mort, aussi. Le pont, c'est l'appel du vide. Pour le meilleur, comme pour

211

le pire. Un pont, c'est vertigineux, mystérieux, infiniment précieux.

Il marque une pause. Je ne sais que penser. Je ne suis pas aussi poétique. Pour moi, un pont est un pont. Du béton, des voitures, du danger, du vacarme, *basta*. Je le lui dis, et il se met à rire, d'un rire franc, solaire.

— Là, vous vous demandez comment fuir ce grand malade sans risquer votre vie… Va-t-il vous pousser de ce pont pour poursuivre ses délires expérimentaux ?

Il fait une pause, mais continue de pouffer. Désiré est décidément un homme plein de surprises. Il reprend ses élucubrations. Se fait plus intimiste.

— Rassurez-vous, vous ne risquez rien avec moi. J'aime les ponts, voilà tout. Lorsque j'étais enfant, en Guadeloupe, mon père m'emmenait pêcher avec lui, assis sur le muret d'un pont. Les habitants de notre village étaient horrifiés que mon père puisse me laisser m'asseoir sur ce parapet, au risque de me voir dégringoler, et faire la une des journaux locaux. Le pauvre petit aveugle, emporté par la rivière… Le reste de mon entourage voulait me mettre dans une cage protectrice. Cela partait d'une bonne intention, mais c'était une véritable entrave. Assis sur ce pont, mon père me faisait sentir que pour moi rien n'était impossible, que le monde entier m'était accessible. Que je pouvais vivre comme les autres. Mais que je devrais pour cela dépasser les limites que ces autres essaieraient de plaquer sur moi. Nous passions des heures là-bas. C'est sur ce pont que j'ai appris à aiguiser mon ouïe, plus qu'en tout autre lieu. C'est encore sur ce pont que j'ai écouté mon père me lire les pièces de théâtre du répertoire français. C'est assis sur ce pont de la campagne guadeloupéenne que j'ai choisi ma voie. Celle des planches, de la lumière. Le refus de l'obscurité, coûte que coûte. C'est sur ce pont que je suis né. Je vous l'ai dit, Romane, il y a tout, sur un pont. On peut même y entendre les battements de son cœur, si l'on se concentre bien. J'ai pensé que vous pouviez vous aussi y trouver quelque chose. Je ne sais pas ce que vous cherchez, Romane, mais je sens que c'est tout près.

Je sens monter un irrépressible besoin de pleurer. *Putain de pont de merde.*

Pour quelle raison ce qu'il vient de dire m'émeut à ce point ? Est-ce le dévoilement, l'impudeur drapée dans un nuage de métaphores et de souvenirs ? Est-ce sa voix, si grave et si légère à la fois ? Ou bien ce qu'il ne dit pas mais que son visage exprime ? Le poids de son enfance, du mépris, de la pitié, du regard des autres, la sérénité de l'adulte ayant trouvé son chemin sur le petit pont de sa terre natale ? Est-ce le contraste que je perçois entre son père et le mien ? Comment peut-on, avec un même élan d'amour, parvenir à des résultats aussi différents ? Injecter à un garçon aveugle une confiance absolue en ses capacités, au point de lui donner l'envie folle de s'exposer aux yeux du monde. Ensevelir une enfant en parfaite santé sous des couches de craintes, de peurs, de phobies paralysantes.

Désiré ne me connaît pas, je ne le connais pas, et pourtant j'ai l'impression que nous sommes déjà loin. Bien au-delà de ce pont.

Je mange le sandwich qu'il m'a préparé, et nous parlons de tout, de rien, de son métier, de son spectacle – auquel je suis censée assister à 18 heures. Il me confie qu'il jouera pour moi, je lui dis qu'il a dû dire ça à des dizaines de groupies, il répond que non, que d'ici quelque temps je verrai à quel point je me trompe.

Au cours de la conversation, je sens grossir la boule logée dans mon ventre. La sensation que j'avais éprouvée l'avant-veille – celle d'être passée à côté de *quelque chose* – m'envahit de nouveau. J'essaie de me concentrer sur les paroles de Désiré, mais je suis de plus en plus distraite. Il s'en aperçoit.

— Ça ne va pas, Romane ?

— Si, si, tout va bien… c'est juste… une sensation étrange. Est-ce que… vous allez me trouver décidément très bizarre… est-ce que vous pourriez répéter ce que vous m'avez dit au cours des cinq dernières minutes ?

— Euh… c'est-à-dire que j'ai dit pas mal de choses depuis cinq minutes…

Il marque un temps d'arrêt. Sourit.

— Vous n'êtes pas commune, vous. Alors laissez-moi réfléchir… Je vous assommais avec ma vie avignonnaise, vous expliquais que je suis arrivé à la fin du mois de juin, que j'ai tout d'abord pris quelques jours de repos, avant de commencer les répétitions…

— Continuez, continuez s'il vous plaît…

— … que les répétitions ont pris fin autour du 6 juillet, que ma représentation a lieu tous les soirs à 18 heures puisque à Avignon les spectacles s'enchaînent non-stop tout au long de la journée, que le début d'après-midi est souvent un moment propice à la balade, ce qui m'a permis de découvrir la librairie un jour de cocktail, une signature d'auteur, le champagne m'a attiré je crois… je vous disais aussi que je suis un grand amateur de livres audio, que mon dernier coup de cœur est le livre de…

Bla bla bla bla bla bla. Je vois ses lèvres remuer mais je ne l'écoute plus. Je me concentre. La sensation est là de nouveau. Elle grossit. Je suis tout proche du but. Qu'est-ce qu'il a dit, punaise ?

Je me concentre encore, mais la sensation se dissipe, s'enfuit. Elle m'échappe.

Putain de bordel de merde je deviens dingue – non, je crois que je le suis déjà.

Je remercie Désiré en l'embrassant sur une joue. Je ne suis pas sûre de savoir pour quelle raison je le remercie, pour le déjeuner, pour les ponts, pour ce *quelque chose*, ou bien pour d'autres choses encore. Alors je le remercie, pour tout.

— Il n'y a pas de quoi, vraiment. À tout à l'heure, Romane ?

— À tout à l'heure, Désiré.

Malgré toutes les émotions antagonistes qui m'agitent, malgré tout ce qui semble plus prioritaire dans ma vie à cet instant, je sais que j'irai le voir en spectacle finalement. Parce que rien ne m'en empêche, en réalité. Parce que j'en ai envie. Parce qu'on ne refuse pas une étincelle de vie. Parce que c'est mon choix, et qu'on a bien trop décidé à ma place, jusqu'ici. Parce que je suis sur mon propre pont, et parce que contrairement à Juliette, j'ai l'immense chance de pouvoir encore choisir dans quelle direction avancer.

Est-ce que ce serait ça, au fond, décider de vivre pour soi ?

17

Jeudi

Lumières

L'après-midi, seule dans la librairie après le départ de Marie et Paola, je pose ma tête au creux de mes bras repliés et je ferme les yeux. Je pense m'endormir – ce qui serait une folie puisque la librairie est ouverte –, mais je sens bien que le malaise demeure. Soudain, j'en saisis les contours, sans en connaître la source.

J'ai jusqu'ici fait une confiance quasiment aveugle à Juliette, sur la base de notre ressemblance extrême. Mais je ne sais rien d'elle. Et je ne peux pas être certaine qu'elle soit aussi sincère que moi. Est-ce que Juliette me ment ? *Quelque chose* m'a mis cette idée en tête. Ce *quelque chose* que je n'arrive pas à saisir.

Juliette me manipule-t-elle ? Juliette est-elle une excellente actrice ayant réussi à berner d'un prétendu amour la pauvre fille en mal de vie que je suis ? Joue-t-elle un rôle actif dans le mensonge que je suis en train de mettre au jour ? Pourquoi me mentirait-elle ?

Juliette est injoignable, elle n'a pas répondu à mes messages. Je suis inquiète, mais d'un autre côté je relativise. Peut-être que sa maladie n'est qu'illusion… Je m'en veux instantanément de cette pensée déplacée. Ça ne tient pas debout. Tout, en elle, avait l'air tellement vrai. Je suis médecin, je sais que sa toux était réelle. Déchirante. Bien sûr les causes peuvent être diverses, mais pourquoi me laisser penser qu'elle aurait un cancer, si ce n'était pas la stricte vérité ? Pourquoi avoir consulté le service de pneumologie de l'hôpital Nord ? Ça aussi, c'est avéré : sa carte Vitale s'y trouvait bel et bien. Je n'ai plus aucune certitude. Je ne comprends plus rien.

J'essaie de nouveau d'appeler Juliette. Répondeur. Je dois lui parler. Je dois aller à Marseille. Oui, mais si Juliette me ment, qu'est-ce qui l'empêchera de me mentir encore ? L'heure n'est plus aux paroles, mais aux preuves. J'ai besoin de factuel, de concret. Je me connecte au site de l'entreprise belge en charge des analyses ADN… toujours rien. *Punaise punaise punaise punaise.*

Je ferme la librairie plus tôt que d'habitude et prépare mon sac pour Paris. C'est la meilleure option pour avancer avec du tangible. Récupérer nos actes de naissance devient une urgence absolue. Ensuite, je les mettrai sous le nez de mon père et je ne partirai pas de chez lui sans avoir obtenu une explication. Il ne pourra pas se défiler, cette fois-ci.

En passant le seuil de la porte, je pense à Désiré, et à ce pont, aussi. Un instant, je me dis qu'au milieu de ce chaos, quelque chose de beau pourrait surgir. Que la nature trouve toujours un chemin au milieu du béton. Quelle faute de goût affreuse d'avoir envie de quelques notes de bonheur alors même que tout n'est que mort, mensonge et faux-semblants autour de moi... Mais je m'en moque. Je n'ai jamais été très douée en matière de bienséance, ça n'est pas aujourd'hui que je vais progresser.

Je me dirige donc vers la représentation de Désiré. Ensuite, j'attraperai le dernier train pour Paris, celui de 20 h 12.

*

La salle est comble. Le public en redemande. Je suis assise au dernier rang, ma petite valise près de moi.

La représentation me bouleverse.

Désiré est extraordinaire. Il parvient à soulever les émotions d'une salle entière. Son spectacle n'est pas un spectacle comique – lorsqu'il a parlé de one-man-show, j'avais tout de suite visualisé une salle hilare, je ne m'attendais pas à ça. C'est sa vie, qu'il raconte sur scène. On rit bien sûr, mais on pleure aussi, on frémit. C'est parfois dur, parfois exaltant, souvent drôle. À l'issue de la courte séance – une petite heure, dense en émotions –, je me fraie un passage vers les coulisses, constate à quel point les femmes qui l'attendent pour obtenir un autographe sont plus jeunes, plus belles que moi. Je m'apprête à partir, mais il capte mon mouvement avant même que je ne l'initie.

— N'y pensez même pas, Romane. Je suis à vous dans cinq petites minutes, ne me faites pas faux bond, s'il vous plaît.

Je l'attends. Il est 19 h 20. Cinq minutes, c'est encore possible. Lorsqu'il me rejoint, il remarque le son des roues de ma valise.

— Vous vous échappez encore, Romane… Puis-je savoir où vous partez ?

— Il ne s'agit pas de m'échapper… je dois… partir pour Paris. J'ai quelques affaires à régler.

— Tout cela est bien mystérieux. Est-ce que vous ne pourriez pas… reporter votre voyage ?

J'ai… je me suis libéré, ce soir. J'avais pensé vous inviter à dîner. Ailleurs que sur un pont.

— Non.

— Non… et c'est tout ?

Il se met à rire. Je réalise mon impolitesse. Je suis tellement concentrée sur la suite des événements et sur ma marche sur les pavés que j'en oublie la plus élémentaire des corrections.

— Pardon, Désiré, je ne suis pas de très bonne compagnie, ce soir.

Pas de réponse. Désiré s'est arrêté. Un grand sourire se dessine sur son visage.

— Je viens avec vous.

— Merci, mais non merci. Je vais me débrouiller.

— Laissez-moi vous accompagner, je vous en prie.

Était-il si évident que mon refus n'en était pas un ? Je pensais que Désiré parlait de m'accompagner jusqu'à la gare d'Avignon, mais je comprends dans le taxi qu'il parlait de venir à Paris. Je proteste vigoureusement, cette fois-ci pour de bon.

— Écoutez, Romane, je suis un citoyen libre dans un pays libre… j'ai bien le droit de vouloir passer un moment dans un TGV, moi aussi, si ça me chante. Demain est une journée de relâche… et puis, je vais vous révéler mon grand secret inavouable : je raffole des sandwichs des voitures-bars.

Pour moi, c'est le summum de la gastronomie française.

Il rit tout seul de ses propres plaisanteries. Je résiste encore un peu, pour la forme, mais je crois que je le fais en souriant.

— Méfiez-vous Romane, je vous entends sourire. Et j'aime beaucoup.

Désiré et moi achetons des billets de dernière minute, des places isolées, qu'importe, nous ne nous assiérons pas.

Dans le wagon-restaurant de ce train qui me ramène vers une nouvelle confrontation avec mon père et des vérités que j'aurais préféré ne jamais devoir affronter, aidée par quelques mini-bouteilles de vin et une salade aussi plastique que son contenant, je ris, j'admire les lumières des villages que nous croisons sur notre trajet, je me force à oublier, l'espace de quelques heures, la crasse que j'ai découverte sous le vernis trop lisse de mon existence.

Tout, avec Désiré, est d'une simplicité désarmante. Il ne pose aucune question indiscrète sur moi, sur tous ces mensonges qu'il a débusqués, sur les raisons de mon départ précipité pour Paris. Il me dit que nous avons le temps. Il a raison, je crois. Pourtant, là, debout avec mon gobelet à la main, je décide de tout lui raconter. Je ne sais pas pourquoi. Enfin, si… Parce que Désiré me semble bienveillant, parce que je n'en peux plus de porter tout ce poids sur mes épaules sans pouvoir en parler à quiconque, parce que j'ai besoin d'un déversoir et qu'il accepte de jouer ce rôle. Parce qu'il continue de me sourire, malgré tout. Parce qu'il ne dit pas grand-chose, mais ce qu'il dit signifie beaucoup. Parce qu'il m'encourage, m'aide à y voir plus clair, enfonce des portes ouvertes, et d'autres, qui étaient fermées. Parce que je suis tellement seule et qu'il est là, lui qui pourrait tellement être ailleurs.

Je titube lorsqu'il me ramène jusque chez moi, à Paris. Devant l'entrée de mon immeuble, il dépose un baiser sur ma tempe, en guise d'au revoir. Je frissonne, malgré la chaleur qui règne encore dans la capitale, à cette heure tardive.

Je passe le seuil de mon appartement, m'affale dans mon canapé trop neuf, et me mets à sangloter.

La vague sensation de bonheur, paradoxale, indécente, que je sens poindre au contact de Désiré, me fait presque honte. J'en pleure de longues minutes.

En quelques jours, j'ai pleuré l'équivalent de dix années complètes. J'ai vécu l'équivalent de dix années complètes, aussi. Tout s'est accéléré. La vie, les rencontres, les sentiments, la mort. C'est trop, pour moi qui n'ai jamais vécu avec une telle intensité. Je m'étonne d'avoir encore un stock suffisant de larmes.

Soudain, je me ressaisis. Je pense à ma sœur, dont je suis toujours sans nouvelles. Que voudrait Juliette pour moi ? Elle voudrait que je vive, éperdument. Au point de me demander de vivre pour elle.

En cet instant de cette nuit parisienne, je voudrais que ma mère soit à mes côtés. Je voudrais que mon père soit à mes côtés. Je voudrais que ma sœur soit à mes côtés. Et qu'aucun d'eux ne m'ait jamais menti.

C'est terrible, tout cet amour qui était là et qui n'est plus. Il n'y a rien de plus éphémère, au fond. Alors il faut savoir le saisir quand il se présente, c'est ce que je me dis désormais.

18

Vendredi

État civil

Le temps est maussade à Paris, ce vendredi matin. Très différent de la veille. Le ciel est lourd, les nuages bas. J'ai presque froid. J'ai une légère gueule de bois, mais je ne suis pas sûre que l'alcool en soit la cause réelle. Je n'ai pas dormi de la nuit. En lieu et place d'un sommeil réparateur, j'ai vécu dans l'angoisse cette journée à venir. Jusqu'à en perdre la raison.

Mes problèmes respiratoires et mon hypocondrie sont à leur maximum, au point de me faire douter d'être passée à côté du diagnostic réel. Suis-je vraiment malade ? Physiquement, je veux dire. Mentalement, il y a des chances, mais je ne suis pas la meilleure juge. Toujours est-il que, les bras et les jambes nues, dans ce TGV trop climatisé, une toux légèrement rauque s'est surajoutée à mon hyperventilation.

J'ai beaucoup réfléchi, cette nuit. Je suis convaincue que Juliette ne ment pas. Sa surprise de me voir était réelle, ses symptômes sont réels. Si je ne suis pas parvenue à la joindre d'ici le début de l'après-midi, je la rejoindrai directement à Marseille. Il faut que je sache. Même si mon cœur doit se disloquer.

Cette nuit, j'ai aussi pris la décision de ne rien imposer à Juliette. Quoi que j'apprenne sur nos origines, je ne lui révélerai que ce qu'elle souhaitera entendre. Je ne suis pas sûre qu'elle veuille connaître la vérité, au fond. Le mensonge est tellement beau.

Elle décidera pour elle-même, mais je décide pour moi. Et pour moi, la vérité est à portée de main. J'ai choisi de me jeter dans le fleuve.

Je sors de mon immeuble, des lunettes de soleil tentant vainement de dissimuler mes cernes.

Au bout de quelques mètres, j'entends la voix de Désiré. Je m'immobilise. Me retourne. Il tient un petit sachet ressemblant à s'y méprendre à celui de la boulangerie du coin.

— Bonjour, Romane. Je sais combien cette journée est importante pour vous. Je me doute que vous n'avez pas très bien dormi. Alors je me suis dit que quelques douceurs matinales pourraient vous mettre du baume au cœur.

J'ai envie de pleurer, à nouveau. Je crois que personne à part mon père ne m'a jamais apporté de croissants. Ma voix s'étrangle lorsque je le remercie.

— Romane, je me suis dit que… que peut-être vous auriez besoin d'un peu de soutien. Je ne veux pas m'imposer, mais sachez que je suis là, si vous avez besoin de moi. Et je n'ai rien de mieux à faire aujourd'hui, alors… Pardon, je ne veux pas dire que vous êtes un plan par défaut, ça n'est pas du tout ce que je voulais dire…

Silence. Il est gêné, je suis gênée, nous sommes gênés. Je reprends la main.

— J'ai bien compris, Désiré. Ne vous en faites pas, j'ai l'habitude de ne pas être un plan A…

— Romane, vraiment je n'ai pas voulu…

— Je vous taquine, Désiré. Vous n'avez pas le monopole de la blagounette, si ?

Comment ai-je osé lui dire ça ? Je me surprends moi-même, ces jours-ci. La Romane d'avant n'aurait jamais lancé une chose pareille. Mais la Romane d'avant n'existe plus. Alors je me mets à rire, et il m'emboîte le pas. Je saisis un croissant chaud, croque dedans. Désiré a raison, la vie ça n'est rien d'autre que ça. Je dois me fier à mon instinct, pour une fois. Alors je baisse la garde.

— Je… ce serait très sympathique de votre

part de m'accompagner. J'ai quelques formalités à accomplir, comme vous le savez. Votre présence est la bienvenue.

— Parfait. J'essaierai d'être à la hauteur de vos attentes, chère Romane.

Il imite une sorte de révérence, un peu comme il l'avait fait avec Paola dans la librairie, en me tendant le sachet. J'ai toujours pensé que les croissants étaient une sorte de drogue. Je pense à la boulangère du coin de ma rue, répétant à l'envi son rassurant slogan : « Rien de tel qu'un croissant pour se sentir vivant. » Je crois que cette citation incongrue me rassure, en cet instant.

Quelques minutes plus tard, je me présente à la mairie du Xe arrondissement, service de l'état civil. Non, je n'ai pas rendez-vous. C'est pour un acte de naissance. Non, pas un extrait, une copie intégrale. Juliette Delgrange, D-E-L-Grange, comme une grange. Oui, je patiente, merci.

J'ai décidé de commencer par Juliette. J'ai tellement peur de ce que je vais découvrir. Je préfère rester encore quelques minutes la fille de mon père.

Lorsque vient mon tour, tout va très vite. Je suis face à un agent pressé, légèrement bossu, le regard torve et les dents jaunies par le tabac, qui n'a pas de temps à perdre avec des plaisanteries – ni avec un sourire, apparemment. Désiré est à mes côtés.

— C'est pour quoi ?

— Une copie intégrale d'acte de naissance.

— J'ai bien compris, madame. Mais c'est pour obtenir quoi ?

— Je ne comprends pas votre question…

Il me regarde d'un air exaspéré. Il reprend, en articulant bien, comme si j'étais une enfant, et qu'il était l'instituteur revêche. Sa bouche s'agrandit et découvre ses dents, qui semblent avoir retenu la moitié de son petit-déjeuner. Je réprime un haut-le-cœur.

— La copie intégrale d'acte de naissance, qui vous la réclame ? J'imagine que ça n'est pas simplement pour l'encadrer ? J'ai besoin de connaître l'objet de votre demande. La plupart des gens ont besoin d'un extrait, vous demandez une copie intégrale, la procédure impose de savoir quel usage en sera fait.

Je me sens totalement idiote, il a raison. Je ne sais pas quoi dire, pourquoi peut-on avoir besoin d'une copie intégrale d'acte de naissance ? Je n'en ai pas la moindre idée.

— Je… c'est personnel. J'en ai besoin pour des raisons personnelles.

— Ah, mais ça, madame, ça ne rentre pas dans les cases, je suis désolé…

Je m'apprête à répondre, lorsque Désiré intervient :

— Dis-lui, chérie, n'aie pas honte… Désolé

monsieur, mais j'ai l'impression que ma future femme n'assume pas totalement de se marier bientôt avec un infirme comme moi... Elle aurait dû vous expliquer tout de suite que c'est pour préparer notre mariage. On se marie dans six mois, chez moi en Guadeloupe.

Je le regarde, stupéfaite. Désiré a-t-il préparé ce rendez-vous cette nuit ? Ou bien savait-il qu'un mariage était un motif légitime pour obtenir ce putain de papier ? Sa tirade a en tout cas clairement décontenancé l'homme en face de nous. Il esquisse un rictus que je ne sais décoder. Seules ses dents m'hypnotisent. J'ai l'impression que je pourrais mourir d'une septicémie s'il me mordait soudainement.

— Eh bien, madame, faut pas être comme ça, je ne vous félicite pas. Un mariage ça se construit sur l'honnêteté. Moi, ma femme, elle parle toujours de moi avec une grande fierté.

Silence gêné. Désiré – décidément incroyable – lui lance un « et on la comprend ! » tellement énorme qu'il semble vrai. L'homme au sourire de papier mâché découvre la totalité de sa dentition et exécute, en reniflant, quelques manipulations informatiques. Puis il s'arrête net. Lit ce qui s'affiche sur son écran, me jette un regard en coin. Répète l'opération trois fois. Il ne sait pas dissimuler sa surprise.

— Madame Delgrange, pouvez-vous me parler de vos parents ?

Il y a quelque chose qui cloche.

— Je… Paola et Gabriel Delgrange, demeurant à Avignon.

— Oui, ça je le sais. Euh… y a-t-il quelque chose que vous voudriez me dire les concernant ?

— Ma femme – pardon ma future femme – a été adoptée. Ça aussi, elle en a honte, alors elle évite de le crier sur les toits.

— Aaaah d'accord. Mais madame, vous savez, il a raison votre mari. Faut pas avoir honte de tout comme ça, sinon on n'avance pas dans la vie. Ma femme, elle me dit toujours que ce qu'elle aime le plus chez moi, c'est…

— Ne rentrons pas trop dans les détails, je vous en prie…

Désiré vient de le couper en riant d'un air connivent, signifiant forcément une connotation sexuelle. L'homme se met à rire grassement. J'ai très peur qu'un postillon m'atteigne, alors je me recule légèrement. Mais Désiré a réussi. L'homme nous fait patienter quelques instants, me rend la carte d'identité de Juliette, me demande de signer – ça, je l'avais préparé – et nous dit au revoir en me recommandant de garder précieusement cet homme qu'il trouve décidément formidable-malgré-son-infirmité.

Je suis sidérée, mais je tiens un papier fondamental entre mes mains.

Lorsque nous sortons de la mairie, Désiré éclate
de rire.

— Dites-moi, Romane, tout va très vite entre
nous, n'est-ce pas ? Nous voilà quasiment mariés !

— Comment saviez-vous ? Pour le mariage et la
copie intégrale d'état civil ?

— Vous voulez dire, autrement qu'en consul-
tant le site internet de la mairie de Paris dédié aux
formalités administratives ? Même avec mon logiciel de lecture d'écran et son affreuse voix synthé-
tique, ça n'était pas si compliqué…

Il se moque de moi, clairement. De ma non-
préparation. Je suis décidément une enquêtrice
totalement merdique. Je pensais être une sous-
Sherlock, je suis en réalité pire qu'un sosie éméché
de Miss Marple.

— Et pourquoi avez-vous dit que j'avais été
adoptée ?

— Pardon de mon ingérence, mais j'ai bien
senti que vous alliez encore vous empêtrer dans
je ne sais quelle justification… Pour moi il était
clair que l'acte de naissance n'était pas classique,
sinon il ne vous aurait posé aucune question sur
vos parents. Et d'après ce que vous m'avez expliqué hier concernant vos origines, je me suis dit que
la mention la plus probable qui immobilisait cet

homme était sans doute une mention d'adoption… Élémentaire, ma chère Romane.

Désiré arbore un grand sourire triomphal.

Mon visage n'est que lambeaux.

Pendant qu'il me parlait, j'ai lu l'acte de naissance de Juliette.

Sa vérité à elle est désormais là, sous mes yeux.

Je songe à sa réaction lorsqu'elle saura et les larmes jaillissent. *Si et seulement si elle souhaite savoir, Romane, souviens-toi. Tu ne dois rien lui imposer.*

Quatre décennies de mensonge s'étalent en lettres manuscrites sous mes yeux embués. Désiré s'aperçoit de mon trouble, s'approche. Me demande de lui lire ce que je viens d'apprendre.

Juliette, ma sœur.

Née le 1er janvier 1976.

Adoptée par Paola et Gabriel Delgrange en date du 14 mai 1976.

Le voilà, le mot, relié à deux êtres qui l'ont aimée tellement fort depuis trente-neuf longues années qu'ils n'ont pas pu lui révéler la vérité. Je leur en veux, je les déteste de lui avoir fait ça. Je les déteste pour tout ce qu'ils vont détruire dans son cœur, dans sa vie. Comment faire de nouveau confiance à quelqu'un lorsque l'on a été trompé par les personnes qui comptent le plus pour soi ?

J'essaie de comprendre. De deviner. D'imaginer.

La détresse de Paola de ne pouvoir donner d'enfant à Gabriel. La joie lorsque Juliette arrive dans leur vie. Une enfant en parfaite santé. Si petite qu'elle n'aura aucun souvenir de ces quelques mois passés sans eux. Une enfant qui, en grandissant – comble du bonheur –, ressemble vaguement à Gabriel. Leur décision de changer de ville, de voisins. Tout recommencer, à trois. L'enfant est le leur. Personne ne leur enlèvera. Pourquoi briser son petit cœur, pourquoi briser leurs cœurs si gros d'avoir tant attendu un enfant qui ne viendrait pas, alors que la solution est là, à portée de main. Un petit mensonge. Aussi simple que le sourire de Paola sur ces photos anciennes, caressant ce joli ventre arrondi, chérissant cette grossesse de quelques heures, si naturelle, si vraie qu'elle l'aurait voulue sans fin. Un tout petit mensonge. Il suffira de prendre en charge à la place de Juliette les rares demandes de documents officiels. Et personne ne saura jamais.

Gabriel et Paola Delgrange ne sont pas les parents de Juliette.

Alors ils ne sont pas les miens, non plus.

Je ne sais pas si je pleure les douleurs de Juliette ou les miennes. La possibilité d'une mère, qui s'éloigne brutalement. Cruellement.

Qui sommes-nous ?

Cette découverte concernant Juliette réactive l'urgence de savoir pour moi.

Désiré me propose de faire une halte, de boire un verre d'eau, une bière, un alcool fort, n'importe quoi pourvu que mes traits se détendent, que ça me *requinque* – j'aime ses expressions tellement désuètes qu'elles pourraient être miennes. Je refuse, il me force malgré tout à faire quelques exercices de respiration, allongée sur un banc. J'essaie de vider ma tête en même temps que mes poumons, n'y parviens pas vraiment, mais régule, malgré tout, ce qui peut l'être.

Pendant que je reprends mes esprits, Désiré étale sa science des services d'état civil, apprise dans la nuit. Il m'agace, mais je dois dire que ce qu'il me raconte est assez utile. Il m'énumère tous les papiers que je peux obtenir avec ma simple carte d'identité : mon acte de naissance, celui de chacun de mes parents, leur acte de mariage…

— Merci, Désiré. Mais je crois que votre cours magistral m'aurait été plus utile avant notre première entrevue à la mairie.

— Dites-moi Romane, je vous sauve la mise et voilà tout ce que vous trouvez à répondre… vous ne seriez pas un peu gonflée ?

Je crois qu'il a raison, mais je me contente d'une esquisse de sourire. Je n'ai ni le temps ni l'envie d'être délicate.

Nous entrons d'un pas décidé dans une autre mairie d'arrondissement, celle du XIXe, située

235

juste en face du parc des Buttes-Chaumont. Un bâtiment que je sais splendide, avec ses colonnes, arcades et autres statues allégoriques. Mais je ne vois rien. Je ne suis pas là en touriste.

État civil. Actes de naissance. Le mien et ceux de mes parents. Acte de mariage de mes parents, aussi. Eh oui, la totale. Je patiente, merci.

Cette fois-ci, nous sommes face à une personne charmante, qui me fait penser à la chanteuse Nana Mouskouri, peut-être à cause de la forme de ses lunettes.

— Nous venons là pour des choses toutes simples. Mon père a eu un dégât des eaux, toutes ses archives ont été inondées, il a tout perdu alors il m'a demandé de récupérer pour lui son acte de naissance, celui de ma mère, et leur acte de mariage.

— Oh mais c'est terrible. Je suis désolée pour votre papa, j'espère qu'il va bien.

— Oui, c'est terrible. Mais il va bien. C'est juste du matériel, il se remet, merci de votre gentillesse, madame.

Après quelques recherches et impressions papier, Nana Mouskouri me tend une enveloppe contenant toute la vie de mes parents, résumée en trois actes. Elle semble nettement plus collaborative que son collègue. Je serre l'enveloppe sacrée contre mon cœur, fébrile. Cela m'encourage. Je passe à la suite.

— Nous venons aussi pour un autre acte, tout simple lui aussi. Mon acte de naissance. Une copie intégrale. Pour notre mariage. Futur.

Je lance un regard à Désiré, qui arbore son sourire le plus convaincant.

— Mais c'est formidable, toutes mes félicitations !

— Merci, merci infiniment.

Nous sommes rodés à l'exercice, mais n'en montrons rien. Je me détends, autant qu'il est possible. Nana Mouskouri nous demande en quelle mairie sera célébré le mariage, Désiré répond que nous nous marierons à Morne-à-l'Eau, en Guadeloupe, commence à en décrire les pittoresques intérêts, mais la gentille fonctionnaire ne quitte pas des yeux son écran, se contentant de sourires polis.

Elle ne pose aucune question.

Désiré se tourne vers moi. Je lis une légère crispation sur son visage.

Pourquoi ne pose-t-elle aucune question ?

— Voilà, c'est fait. J'ai transmis par voie informatique votre copie intégrale d'acte de naissance à la mairie qui accueillera votre mariage. Vous n'avez plus rien à faire de votre côté, tout est en règle. Encore tous mes vœux de bonheur, et bonne journée messieurs dames.

Nous restons immobiles. Nana Mouskouri nous fixe, souriant d'un sourire qui signifie : « Je

crois que nous nous sommes tout dit, vous pouvez disposer »… Mais nous ne bougeons pas. Elle
reprend :

— Il y a un problème ?

— C'est-à-dire… je m'attendais à ce que vous
me donniez une copie de l'acte, afin que je puisse
le transmettre… et aussi afin que j'en possède un
exemplaire, au cas où on me le demanderait ailleurs…

Mon interlocutrice se met à rire.

— Je vous rassure tout de suite, madame.
Mademoiselle, pardon. Personne ne vous demandera une copie intégrale d'acte de naissance. De
nos jours tout est informatisé, pratiquement plus
rien ne circule en version papier, ça évite bien des
soucis. Même dans les dossiers de succession, c'est
nous qui envoyons tout par mail aux notaires. C'est
bien plus simple pour tout le monde !

Je suis abasourdie. Je sens monter une colère
muette en moi. *Respire Romane, respire. Mais ne
sors pas ton sac en papier, pour l'amour du ciel.*
Désiré reste muet, lui aussi. Je dois reprendre la
main.

— Mais votre collègue de la mairie du Xe…

Je m'arrête net. Je ne vais quand même pas lui
dire qu'il y a une heure de cela, je demandais un
acte de naissance pour une autre que moi, dans
une autre mairie.

— Mon collègue de la mairie du Xe ?

— Oui… il a… été très conciliant pour mon mari. Futur. Il nous a donné sans problème la version papier de l'acte de naissance de mon futur mari.

— Excusez-moi, mais je croyais avoir compris que monsieur était né en Guadeloupe, à Morne-à-l'Eau justement ?

Silence. Elle me fixe, attend. Je dois agir. Maintenant.

— Qu'est-ce que… ? Madame ! Qu'est-ce que vous faites ? Retournez tout de suite à votre place, vous n'avez rien à faire ici ! Madame ! Arrêtez, qu'est-ce que… ? Sécurité !!

J'attrape Désiré par la manche, et je le traîne hors de la mairie en courant. Je sais que c'est cruel de lui faire ça, il manque trébucher trois fois, mais je le retiens et nous parvenons à nous échapper.

Nous courons à en perdre haleine, loin à l'intérieur du parc des Buttes-Chaumont. Ce parc dans lequel mon père a travaillé toute sa vie. C'est un lieu qui me rassure, dans lequel j'ai mes repères. C'est pour ça que j'ai choisi cette mairie-là. Dans un monde en train de tanguer, il faut quelques branches auxquelles se raccrocher, sinon comment ne pas disparaître ? Désiré ne me pose aucune question. Il se contente de répéter en gloussant que décidément, je suis incroyable. Je crois qu'il a compris ce que j'ai fait.

Dans ma main, une photo de l'écran d'ordinateur de Nana Mouskouri.

J'espère qu'elle n'est pas floue.

Nous nous asseyons dans l'herbe légèrement humide. Le parc est quasiment désert en ce matin gris. Désiré me demande si je souhaite être seule, je lui réponds non, surtout pas. Je suis terrifiée.

Je saisis le smartphone. L'image s'affiche.

Je prends une grande inspiration puis je bloque l'air dans mes poumons.

Je parcours les éléments essentiels, et l'espace d'un instant, je pense que mon monde reste stable. Je relâche l'air. Je respire, enfin.

J'écarte mes doigts pour zoomer. Je pense savoir ce que je vais lire.

Mais je ne sais rien. Je n'ai jamais rien su.

Je regarde mieux. Je tressaille.

Sur ce fleuve inconnu, je savais que mon frêle esquif pouvait prendre l'eau. J'y étais préparée. J'avais envisagé une large brèche, en plusieurs emplacements.

Mais je n'avais pas envisagé ce récif-là.

J'ouvre l'enveloppe, je parcours chacun des trois documents officiels. L'un d'eux me heurte de plein fouet.

La douleur de la déchirure est fulgurante.

Mon navire est en train de sombrer. Et moi avec.

19

Vendredi

Perdre racine

Est-ce que tout ça peut être faux, encore une fois ?

Quelqu'un aurait-il pu falsifier ces documents, au sein même de l'administration ? Nous ne sommes plus à un mensonge près, certes... mais c'est tout de même peu probable.

Ce que je viens de lire sur ces actes officiels est terriblement clair.

Des mentions âpres, rugueuses. Impitoyables.

Ma mère n'est pas morte lorsque j'avais un an, comme mon père me l'a toujours expliqué. Elle est morte le jour de ma naissance.

Le voilà, l'œil du cyclone.

Ce que je pensais savoir de ma vie vient d'être rayé de la carte.

Que s'est-il passé, ce jour-là ?

Papa, qu'as-tu fait ?

Papa. Qui était médecin, le 1er janvier 1976, c'est écrit noir sur blanc sur la capture d'écran de mon acte de naissance. Papa qui ne l'a pourtant jamais été, médecin. Papa qui était tellement fier que je sois le premier médecin de la famille.

Mon père, cet inconnu. Qui a menti sur tout, depuis toujours.

M'a-t-il menti sur ses sentiments ?

Que suis-je réellement pour lui ? Un jouet dont on se moque, que l'on manipule à sa guise ? Peut-être regrette-t-il de ne pas m'avoir abandonnée, moi aussi…

Car voilà ce que je crois comprendre, à la lecture de ces documents : le 1er janvier 1976, ma mère met au monde deux filles, et meurt. Probablement en nous donnant la vie. Quelle horreur. Quelle image atroce.

Est-ce que mon père est là, à cet instant ? Évidemment qu'il est là. Il est médecin à l'époque, il ne peut rien ignorer de la situation. Je ne crois plus au vol d'enfant à la maternité. Mon père a bien trop menti pour ne rien avoir à se reprocher.

La seule possibilité restante, c'est que mon père,

ce jour-là, décide sciemment de ne garder que l'une de nous. Moi.

Mon Dieu.

Pourquoi, papa ? Et comment as-tu fait ton choix ? Est-ce que Juliette n'était pas assez jolie ? Est-ce que ses cris étaient trop forts, déjà bien plus affirmés que les miens ? Ou bien est-ce le hasard ? As-tu lancé un dé, joué nos vies à la courte paille ?

Ce que je comprends me dégoûte.

Quoi que tu dises, ça n'excusera jamais ton geste. L'abandon de ta fille, Juliette. Et ton mutisme.

Trente-neuf longues années.

Je crois que Désiré me pose une question, mais je ne l'écoute pas.

Je n'écoute plus.

C'est un cauchemar. Je vais me réveiller et tout va rentrer dans l'ordre. Je ferme les yeux, les rouvre. Désiré me regarde, totalement désemparé. Je suis dans la vraie vie, ou bien la fausse, le mensonge. La mienne, en tout cas.

Les larmes se muent en colère. Silencieuse. Mon cœur s'assèche. Je me redresse et je vomis, là, sur un parterre de fleurs de ce parc que j'aime tant. J'espère que tu le connais, ce parterre, papa. Que tu l'as entretenu comme ces secrets sur lesquels je déverse toute ma haine, en ce matin de juillet.

J'avais prévu de voir mon père aujourd'hui, de le

forcer à parler. Je suis prête à en découdre avec lui, plus que jamais.

Désiré tente de me calmer. D'apaiser cette rage qui gronde en moi. Me retient, me dit que ce n'est peut-être pas le moment d'aller voir mon père, que je dois attendre que ma fureur soit redescendue d'un cran. Je lui hurle d'aller se faire foutre, lui affirme que je n'ai pas besoin de lui, que je n'ai besoin de personne, et qu'il m'encombre, me ralentit. Il voulait être un déversoir, le voilà servi. Je regrette instantanément ce que je viens de dire, je m'excuse platement, mais il s'éloigne déjà. Je le poursuis, il ne se retourne pas. Je l'ai fait fuir, lui aussi. Comme tous les autres.

Je suis seule, à nouveau. J'ai toujours été seule, au fond. Je le serai toujours.

J'arrive chez mon père dans un état second.

Je ne prends la peine ni de sonner, ni de frapper. J'entre et je crie son nom. Je ne suis que hurlements et rage. Je fais le tour de l'appartement mais dois bien me rendre à l'évidence. Il n'est pas là. Tout est tellement rangé, ça me rend folle. J'ai besoin de casser quelque chose, de rompre cet ordre. Alors je saisis ce cadre doré, cette photo de nous trois, réunis. Cette famille trop parfaite pour être vraie. Je veux la détruire, cette photo, mais je sais que je ne pourrai pas. Je me remets à pleurer. Je m'assieds sur le fauteuil préféré de mon père, celui juste

244

à côté de la fenêtre, celui sur lequel il lisait, celui sur lequel il pleurait en regardant cette photo de maman, lui et moi, posée sur la table basse, juste en face. Je suis lui, en cet instant. Nous sommes beaux, tous les trois, sur ce cliché jauni. Nous aurions tellement mérité d'être heureux. Quel crève-cœur, ces vies, ces morts, ces mensonges. Je sors la photo de son cadre, je l'observe de plus près. Je suis dans les bras de mon père, et ma mère se tient à côté, le regard légèrement ailleurs. J'ai toujours pensé qu'elle ne regardait pas l'objectif, simplement. La vérité était tout autre.

Je me demande où mon père peut bien être. Il a pourtant ses petites habitudes. Lorsqu'il est à Paris, le vendredi matin est consacré à sa gymnastique, chez lui, dans son salon. J'ouvre le frigo, à tout hasard. Vide. Où est-il ? J'ai besoin de le voir, là, maintenant. Je fourre la photo de famille – rien que le mot me donne la nausée – dans mon sac à main, je prends une grande bouffée d'air, me lève, et ferme la porte de cet appartement, sans me retourner.

Avant de quitter l'immeuble, j'ouvre la boîte aux lettres et constate que le courrier a été relevé. J'imagine donc que mon père ne doit pas être si loin, ou qu'il n'est pas parti depuis très longtemps. Il faut que je le voie, je ne peux pas ne pas le voir. Je m'assieds sur un banc dans la rue et respire dans mon petit sac en papier. J'essaie de réguler ma respiration, de me calmer avant de l'appeler. Ne pas laisser transparaître cette agressivité rance qui m'habite.

Lorsque je me sens prête, je l'appelle sur son portable. Une fois, deux fois, trois fois. Je laisse un message sur son répondeur, lui explique calmement que j'ai changé de numéro de téléphone, lui indique comment me joindre. Je double tout cela d'un SMS.

Rappelle-moi, papa, s'il te plaît rappelle-moi.

Une heure plus tard, toujours aucune nouvelle.

J'ai décidé de revenir dans mon appartement parisien, de récupérer mon bagage, puis de filer à Marseille. Rejoindre Juliette.

Je m'apprête à sortir lorsque le téléphone sonne enfin. Je me rue sur mon mobile, pensant qu'il s'agit de mon père.

Ça n'est pas lui.

C'est bien pire.

III

HEURES

20

Vendredi

Irréversible

Le numéro du service de pneumologie de l'hôpital Nord – que j'ai appris par cœur – s'affiche. Je
m'assieds avant de décrocher, par précaution. Cette
journée est déjà bien trop riche en émotions, et
le fait que ce ne soit pas Juliette qui appelle, mais
l'hôpital, fait monter mon rythme cardiaque d'un
seul coup. Mon dos se couvre d'une fine pellicule
glacée.

C'est une infirmière. En charge du dossier de
ma sœur.

Oui, je suis bien Laurence Delgrange.

L'infirmière me demande si je peux venir à l'hôpital au plus vite.

Le sol se dérobe sous mes pieds.

Que se passe-t-il ?

Rien ne peut m'être communiqué par téléphone. Le chef de service souhaite me voir.

— Je ne peux pas être là avant quatre, cinq heures, est-ce que ça ira ?

— Faites au mieux, madame. Merci, madame, à tout à l'heure. Courage.

Mon Dieu, cette personne à l'autre bout du fil vient de me souhaiter du courage. Que s'est-il produit ? Il n'y a pas dix mille possibilités.

Je me mets à trembler. Mes jambes ne parviennent plus à me porter, je m'agenouille sur le sol de mon appartement, le téléphone entre les jambes. Je reste là, le regard fixe, immobile. De longues minutes. Je suffoque. J'avais pourtant réduit ma consommation de petits sacs en papier, en début de semaine. Ils reviennent en force, en ce début d'après-midi sordide.

Je commande un taxi puis prends un TGV pour lequel je n'ai pas de réservation, me fais réprimander par un contrôleur récalcitrant, refuse de payer l'amende et suis à deux doigts de me faire embarquer au poste de police, mais j'éclate en sanglots, et mon affliction désamorce toute velléité carcérale.

Ensuite, c'est de nouveau le taxi, Marseille à travers des vitres teintées, un chauffeur désemparé face à cette passagère qui renifle tout le trajet et épuise sa boîte de mouchoirs, l'accueil de l'hôpital, le service de pneumologie, l'attente.

Je ne patiente pas longtemps. Une adorable jeune femme, aussi rousse que Juliette et moi – mais bien plus jolie – vient me chercher. On m'installe dans une salle que je connais bien. Si je suis là, dans cette pièce, ce n'est pas bon signe, j'en suis certaine. Les bonnes nouvelles, on les annonce dans les couloirs, dans les chambres. Deux personnes s'approchent, me parlent doucement. Je ne comprends que trop ce qu'ils sont en train de m'expliquer. On ne me demande pas de justifier mon identité, notre ressemblance est tellement évidente.

En tant que sœur de Juliette Delgrange, je dois savoir que son état s'est dégradé brutalement. Juliette fait face à une exacerbation aiguë de fibrose pulmonaire idiopathique.

De quoi me parlent-ils ? Aux dernières nouvelles, c'était un cancer qui était suspecté. Pas une fibrose. Il doit y avoir erreur. Ils font forcément erreur.

— Un cancer était suspecté, entre autres affections, c'est vrai. Il est rare qu'une fibrose commence par une exacerbation aiguë. Mais cela arrive… C'est le cas de votre sœur Juliette. Nous sommes désolés, madame Delgrange.

Ma voix se brise. Je leur demande d'arrêter de

me dire qu'ils sont désolés, ils me répondent qu'ils sont désolés, puis s'excusent de nouveau, utilisant une autre formule cette fois-ci. Je retiens le flot qui transperce mes yeux, mon corps, mon cœur. Je parviens malgré tout à formuler une question. Pourquoi ne m'ont-ils pas appelée plus tôt ?

— Tant que la patiente était en état de le faire, c'était à elle d'en décider. Cela lui a été fortement suggéré… apparemment elle ne l'a pas fait.

Juliette a été transférée en service de réanimation dans la matinée. Étant identifiée comme personne référente, l'hôpital m'a contactée dès l'arrivée du chef de service.

Mon Dieu. Mon Dieu. Mon Dieu. Mon Dieu.

C'est un putain de cauchemar, un vrai de vrai cette fois-ci.

Tout ça n'est pas bon. Pas bon du tout. Je me mets à sangloter.

Juliette est atteinte de fibrose pulmonaire idiopathique.

Une maladie affreuse, qui affecte les tissus, fragiles, des poumons. Pour chacun d'entre nous, ces tissus souples et flexibles permettent des mouvements de cage thoracique automatiques, indolores. Une respiration normale. Dans le cas d'un malade, ces tissus deviennent progressivement fibreux, rigides. Tandis que les cicatrices s'étendent à tra-

252

vers les poumons, la respiration devient de plus en plus difficile.

Les symptômes de Juliette correspondent, ils ont raison. Mais ils peuvent aussi correspondre à bien d'autres choses… Sont-ils sûrs du diagnostic ? Ils ne peuvent pas être sûrs à 100 %, la médecine n'est pas infaillible. Mais toutes les autres causes possibles ont été éliminées ces derniers jours.

Cette maladie est une sacrée saleté. Une saleté dont la cause reste inconnue – c'est ce que signifie le terme « idiopathique ». Rare certes, mais touchant malgré tout près de cent mille personnes en Europe.

Une maladie au nom imprononçable.

Et surtout, surtout, une maladie incurable.

À ce jour, il n'existe aucun traitement efficace. Le tissu fibreux ne redevient jamais normal. Les lésions sont irréversibles. Le pronostic est sombre. La moitié des malades décèdent en moins de trois ans. Je sais tout ça car j'y ai été confrontée, il y a six ans de cela. L'un de mes patients en était atteint. Il en est mort.

L'atmosphère devient irrespirable. Mon halètement s'accélère. Je dois me calmer mais je n'y arrive pas. Mes sanglots déclenchent la plus grosse crise d'hyperventilation que mon corps ait eue à supporter. Je crois voir les médecins s'affoler, s'agiter, mais je ne suis pas sûre, tout devient flou.

Mon cerveau a besoin d'air, sinon je vais y passer, moi aussi.

Il doit se préserver, se mettre en pause pour se réoxygéner.

Je vais perdre connaissance, je le sais.

C'est maintenant.

*

À mon réveil, je suis allongée sur un lit d'hôpital.

Je reprends progressivement conscience de tout ce qui m'a été annoncé, mais je ne pleure plus. La crise m'a, semble-t-il, asséchée.

Je songe à Marie, à Paola, à Gabriel, à Raphaël, à toutes ces personnes qui tiennent à Juliette et qui ne sont au courant de rien. À toutes ces personnes auxquelles je vais devoir annoncer la situation, alors même qu'ils ne me connaissent pas. C'est moi qui vais devoir faire souffrir tout ce petit monde. Juliette a été injuste avec moi. Elle aurait dû leur parler en temps voulu. Elle s'est défaussée de sa responsabilité. Sur moi. Je n'ai rien fait pour mériter ça. Rien d'autre qu'aimer ma sœur, quelques jours.

Un instant, je pense que finalement, ne pas connaître Juliette aurait sans doute été mieux pour moi. Si l'on ne sait pas que l'on aime, on est protégé de la souffrance. Ignorer pour ne pas sombrer. Je secoue la tête et chasse cette pensée inutile, malsaine. Et fausse. Tellement fausse. Je sais bien que si l'on me donnait le choix, je préférerais mourir plutôt que de ne pas avoir connu ma sœur.

Juliette, même si ce n'était que pour quelques jours, qu'est-ce que je suis heureuse de t'avoir rencontrée ! Qu'est-ce que je suis heureuse de t'avoir aimée !

Lorsque je suis sur pied, on m'indique que je peux voir ma sœur, mais qu'elle ne sera pas en état de me répondre. Qu'ils ne sont pas sûrs qu'elle puisse m'entendre. J'hésite longtemps mais finalement je n'y vais pas. Je ne peux pas. Je ne veux pas la voir comme ça. Je préfère garder en mémoire les belles images de dimanche, de lundi. Elles me paraissent si lointaines, et si proches à la fois.

Sur le chemin du retour vers Avignon, j'ai l'impression que mon cerveau est vide, cotonneux. Qu'il se prépare à affronter le pire. On m'a souhaité du courage, je vais en avoir besoin.

*

Il est plus de 23 heures lorsque je passe le seuil de l'appartement de Juliette. Je me sers un verre de vin – c'est la première fois de ma vie que je bois de l'alcool toute seule, il faut un début à tout.

Je tente de me raisonner : oui, Juliette peut mourir. Mais elle peut vivre, aussi.

Il existe une issue. Un espoir. Un seul. La greffe pulmonaire.

Un espoir qui repose sur la mort cérébrale d'autres personnes, quelle douloureuse ironie du sort. Un espoir rempli d'incertitudes, car il n'y a pas suffisamment de poumons disponibles. Et lorsque certains sont déclarés transplantables, ils ne sont pas forcément compatibles, morphologiquement et génétiquement, avec le patient qui en a le besoin vital le plus urgent. Mourir sur la liste d'attente des receveurs, au cours de la greffe, ou bien en rejetant l'organe transplanté... tout cela est toujours une sordide réalité.

L'équipe médicale a placé Juliette en « Super Urgence » sur la liste des personnes en attente de greffe pulmonaire. Je connais ce terme officiel. J'ai toujours pensé que ça donnait des airs de combat cosmique à cette situation des plus dramatiques. J'ai toujours pensé que ça apaisait les familles, les rassurait probablement sur l'importance de la prise en charge de leur proche. Je constate dans le plus grand désarroi qu'il n'en est rien.

Je me redresse soudain. Un mot résonne dans ma tête.

Un mot, qui peut tout changer.

Là, dans le salon de Juliette, mon smartphone

à la main, j'ouvre le moteur de recherche, une page, puis une autre. Je rentre mes identifiants de connexion. Je tremble. J'espère.

Je sursaute, lance un juron des années 60.

Une icône verte clignote.

Mon corps tout entier est tendu vers l'écran.

C'est un peu plus tôt que le délai annoncé, mais nous sommes en plein été, la demande était sûrement au plus bas.

Les résultats sont disponibles.

Un simple document s'affiche. Nos vies en quelques lignes.

Mes yeux se voilent. Puis débordent. Tout est là.

La solution, sous mes yeux.

Résumée en un simple mot : génétique.

Le seul, l'unique adulte dont la compatibilité génétique avec Juliette est absolument certaine, c'est moi. Sa jumelle.

De toute évidence, je ne suis pas en état de mort cérébrale. Mais je détiens la vie de ma sœur entre mes mains.

21

Vendredi

De vie ou de mort

Je pourrais rendre à Juliette la place qui lui a été volée.

Je pourrais donner ma vie pour Juliette.

Je pourrais la sauver.

Juliette voulait que je prenne sa place dans sa vie. En réalité, je pourrais prendre sa place dans la mort, moi qui ai vécu avec notre vrai père, toutes ces années.

Est-ce possible, vraiment ? Il ne s'agirait pas que je me sacrifie, et qu'un problème d'ordre technique, ou éthique, vienne se mettre en travers de la route. Nous mourrions alors toutes les deux, tout cela n'aurait servi à rien.

Réfléchis, Romane, réfléchis.

Je connais bien le processus de greffe, j'ai suivi l'attente, puis la convalescence de trois de mes patients. Je me connecte sur le portail de l'Agence de la biomédecine, afin de vérifier que mes connaissances sont à jour. Elles le sont.

Pour que mon don d'organes soit pris en compte, il faut impérativement qu'il n'y ait aucun doute sur mon suicide, sinon une enquête pourrait être ouverte pour homicide, faisant perdre un temps précieux. Je devrai donc laisser une lettre sans équivoque, et faire en sorte que des témoins m'aient vue entrer seule dans ma dernière résidence. Il faut également qu'aucun lien de parenté avec Juliette ne soit décelable. En France, le don d'organes est anonyme. Les familles des donneurs et des receveurs ne connaissent pas l'identité de l'autre partie. Mon sacrifice aurait du mal à passer les barrières des comités d'éthique s'il était avéré que Juliette est ma sœur. Pour l'hôpital, la sœur de Juliette s'appelle Laurence Delgrange – le nom que Juliette m'a inventé lorsqu'elle m'a désignée comme sa « personne de confiance ». Pour les autorités, Juliette est fille unique.

Lorsque mon corps sera découvert, j'aurai dans mes poches ma carte de donneuse d'organes et ma carte d'identité. Sur ce document collector émis en 1992, l'adolescente aux cheveux noirs et au nez trop large ne ressemble en rien à la Juliette

Delgrange d'aujourd'hui. Étant donné mon mode de vie, toute autre recherche me concernant (passeport, carte d'identité plus récente, publications sur internet) s'avérera, bien entendu, totalement vaine.

Il faudra en revanche que mon visage ne soit pas reconnaissable. J'y veillerai. Ça ne sera pas un problème. Mon père, qui a toujours eu peur que je me fasse agresser, m'a offert il y a cinq ans quelques séances d'entraînement au tir accompagnées d'une arme à feu. Cette paranoïa me servira enfin, dans les derniers instants de ma vie.

Demain dès la première heure, j'irai récupérer l'arme, chez moi à Paris.

La nuit suivante, je prendrai une chambre d'hôtel à deux pas de l'hôpital Nord. J'appellerai les secours, j'attendrai quelques minutes, et lorsque j'entendrai les pas des pompiers dans le couloir, je mettrai fin à mes jours. Efficacement. Je sais exactement comment faire pour préserver mes poumons. Et les offrir à Juliette.

Ainsi, on retrouvera une femme, sans aucun lien de parenté avec Juliette Delgrange, à la compatibilité histologique parfaite – l'analyse qui sera menée ne révélera que la compatibilité, pas la gémellité –, possédant des poumons formidables : je n'ai jamais fumé de ma vie, et mon hyperventilation est purement psychologique, tous les examens de la Terre l'ont attesté. Une personne d'une corpulence comparable, décédée à moins d'un kilomètre de l'hôpital Nord. Un coup de chance, pour cette patiente placée en « Super Urgence ».

Bien sûr, la greffe pourrait ne pas prendre, mais avec des poumons exactement identiques à ceux du receveur, la probabilité d'un rejet serait extrêmement faible, j'en suis convaincue. Juliette aurait toutes les chances de s'en sortir. Juliette pourrait continuer sa vie, auprès des siens. Marie serait heureuse, Paola et Gabriel seraient heureux…

Moi qui n'ai rien réussi dans ma vie, j'ai encore le pouvoir de réussir ma mort.

Qu'elle soit belle, généreuse, utile.

Mon père perdrait une fille, mais en gagnerait une nouvelle.

Bien mieux que l'autre.

Bien plus apte au bonheur.

Vraiment ?

Cette enfance-là

C'est difficile d'être père. C'est difficile d'élever seul son enfant.

J'ai fait de mon mieux, Romane.

Dès ta naissance, je n'ai eu qu'une peur : qu'il t'arrive quelque chose. Que tu meures. Que tu m'abandonnes, toi aussi. Alors, j'ai travaillé à réduire les risques.

En éloignant ta jumelle, d'abord. En te protégeant coûte que coûte, ensuite.

J'ai bien conscience que dans mon cas, il ne s'agissait pas de simples précautions. J'étais anxieux à l'idée de te laisser dormir seule, de te laisser marcher, expérimenter par toi-même. J'ai toujours eu un mal fou à accepter de déléguer à d'autres adultes la responsabilité de ta surveillance. On ne peut que compter sur soi dans la vie, je l'ai appris dans la douleur.

L'hôpital était synonyme de gardes, de travail nocturne régulier. Comment aurais-je pu te laisser dormir loin de moi ? J'avais abandonné Marie, ta mère, ce premier jour de 1976, et ce fléchissement avait été fatal. Je ne pouvais me résoudre à me séparer de toi une seule nuit. J'étais le plus apte à te protéger. Le seul, l'unique. Celui qui désirait ton bonheur plus que tout, qui te faisait passer avant tout le reste, bien avant sa propre existence.

Alors pour mieux te surveiller, j'ai tout d'abord songé à me mettre à mon compte. À exercer mon métier en cabinet. Mais peu importe ce que je faisais, les images de Marie sur ce lit glacial me revenaient. La vue d'un pansement, du sang, suffisait à me faire défaillir. Je pensais le problème passager, mais il a rendu mon quotidien invivable. Le 1er janvier de l'année suivante, j'ai décidé de tourner la page définitivement. Changer de vie, de métier. J'ai choisi un travail au calme, éloigné des cris de douleur, qui me laissait le temps de t'élever, de t'aimer. Je pensais y rester quelques mois. J'ai surveillé le parc des Buttes-Chaumont durant trente-cinq heureuses années. J'ai aimé cette vie. Bien sûr, mon salaire n'était plus le même, mais ce que j'y ai gagné en sérénité, en respiration, en temps disponible pour toi, mon amour, est inestimable.

264

Nous avons déménagé, nous sommes rapprochés de ce quartier populaire dans lequel je travaillais désormais. J'ai décidé de tout modifier, de réenchanter nos vies, notre histoire. J'ai décidé de ne jamais te raconter le passé. De te tenir à l'écart de mes blessures d'enfance. De mes blessures d'adulte. Je ne pouvais pas, je ne pouvais plus, raconter ce qu'il s'était passé réellement le jour de ta naissance. Je ne pouvais pas, je ne pouvais plus, raconter ces gestes, la mort de celle que j'aimais au-delà du raisonnable. L'abandon de Juliette, dont le visage en pleurs dans cette couverture revenait me hanter chaque soir avant de m'endormir, me grignotait à petit feu. Je ne pouvais pas, je ne pouvais plus revivre tout cela, même en paroles. Cela aurait soulevé bien trop de douleurs.

Je voulais que tu gardes de Marie l'image de la femme solaire qu'elle était. Que tu saches qu'elle t'avait aimée plus que tout. Je voulais qu'elle reste vivante, dans mon cœur comme dans le tien. Son décès était malheureusement le seul fait que je ne pourrais jamais changer, même si c'était celui que j'aurais voulu rayer d'un coup de couteau. Alors j'ai réinventé la mort de ta mère. J'ai imaginé une année avec elle. Une année à trois, avec une belle photo, des anecdotes, des joies. Puis j'ai inventé une balade en famille, un jour de sacrifice rempli de lumière, de courage. J'ai voulu faire de Marie l'héroïne qu'elle méritait d'être. Prête à tout risquer par amour pour

265

toi, sa fille. Pas de cri, pas de larmes, pas de souf-
france. Juste une mort héroïque, un choc bref, absolu,
presque beau. Pour te sauver.

Ton entrée à l'école a été un déchirement. Je
n'avais pas le choix, bien entendu. Tu grandissais,
je devais te laisser évoluer, vivre ta vie d'enfant.
Je comptais les heures qui me séparaient de la mal
nommée « heure des mamans ». Quelle ignominie,
ce terme, pour les gosses qui n'en ont plus. Quelle
angoisse, ces journées à ne pas t'avoir sous les yeux.

J'ai dû t'apprendre à te blinder, t'immuniser. Un
enfant averti en vaut cent mille. Je t'ai énuméré les
pires horreurs qui pouvaient arriver à une petite
fille, à une adolescente, à une adulte. Afin que tu
te méfies, que tu te construises une carapace solide,
réfléchisses aux conséquences de tes actes avant
d'entreprendre quoi que ce soit. Je t'ai transmis
toutes mes peurs, j'en suis conscient. Je ne pouvais
pas faire autrement. Je devais te rendre invincible,
intouchable. Je t'ai transmis la volonté farouche de te
défendre, et les meilleures méthodes pour y parvenir,
en toutes circonstances. Mais j'ai aussi alimenté dès
le plus jeune âge ce qui aujourd'hui t'encombre. Une
certaine paranoïa, qui à l'époque me semblait saine,
nécessaire.

En 1985, l'épisode de la cheville cassée, a joué un
rôle fondateur dans ton orientation professionnelle.
Lorsque j'ai été appelé par ton institutrice de CM1,

j'ai vécu, ce jour-là, un moment de détresse insensé. Lorsque la voix de cette femme a retenti dans le combiné de mon téléphone, j'ai cru qu'elle s'apprêtait à m'annoncer ton décès. Ce coup de fil a ravivé la douleur de la perte, sa morsure a fait sauter les coutures de toutes mes mutilations passées. J'ai très vite compris qu'il ne s'agissait de rien de bien méchant, mais j'ai perdu pied. J'ai su qu'il me serait désormais impossible de veiller sur toi 24 h/24, que tu acquerrais de plus en plus d'autonomie, et que je ne pourrais bientôt plus continuer à te garder en cage.

C'est à ce moment précis que j'ai décidé que tu deviendrais médecin. Ce métier que je ne pouvais plus exercer, ce serait le tien.

*Je devais faire en sorte que tu connaisses ton corps parfaitement, que tu en identifies le moindre dysfonctionnement, que tu saches te soigner, que tu saches te sauver, le moment venu. Dès cet instant, je suis sûr que tu t'en souviens, j'ai commencé à t'entraîner dans d'innombrables parties de Docteur Maboul, à t'offrir des cassettes d'*Il était une fois la vie, *des livres sur le corps humain... Je voulais que tu trouves ce métier amusant, attirant. Dès l'âge de douze ans, tu déclarais gaiement que tu serais généraliste. J'étais fier, satisfait. Soulagé.*

Pour le reste – les transports, les accidents domestiques, les délinquants de tout bord –, t'inculquer un sens aigu du danger était tout ce que je pouvais faire.

Je l'ai fait. Longtemps, j'ai estimé avoir réussi. Désormais je me rends bien compte qu'en te transmettant mes peurs, j'ai nourri ton hypocondrie, tes angoisses. Mais je ne peux pas changer le passé.

Aujourd'hui tu es en vie, tu es belle, tu es resplendissante, te voir chaque jour me remplit de bonheur.

Je t'aime, Romane. Plus que tout.

22

Samedi

Trois, deux, un

Alors que j'élabore ce scénario morbide, le feu de l'action me fait quasiment perdre de vue le sujet dont il est question.

Courir vers le précipice. Ne pas s'arrêter. Ne pas regarder autour de soi. Et sauver Juliette. Bien planquée derrière d'immenses œillères.

Ça, c'est la théorie.

En pratique, je suis depuis de longues minutes plongée dans une crise d'hyperventilation qui me paralyse.

Il s'agit de ma mort, je ne peux pas faire comme si une telle décision relevait de la raison pure. Ce sont les sentiments qui gagneront, en dernier recours. Quoi qu'ils m'intiment de décider, ce sera intolérable puisque l'une de nous va mourir.

Laquelle de nos deux vies a le plus de valeur ?

Comment établir une quelconque priorité sans convoquer les heures les plus sombres de notre histoire, sans soulever l'effroi, l'abject ?

Suis-je vraiment prête à me sacrifier, pour cette sœur dont j'ai découvert l'existence il y a quelques jours seulement ?

Quelques jours, terriblement intenses. Quelques jours qui ont bousculé mes certitudes, m'ont profondément transformée.

Quelques jours au cours desquels je me suis surprise à envisager une relation avec un homme – que j'ai fait fuir depuis, mais tout de même… Pour la première fois depuis la nuit des temps, je me suis projetée vers l'avenir. J'ai ri et pleuré comme jamais. Je me suis sentie tellement vivante. Quel sadique coup du sort de voir frapper la mort à ma porte aujourd'hui.

Est-ce que Juliette serait plus heureuse que moi ? Oui, sans doute. Juliette n'a pas à apprendre le bonheur, il est déjà en elle, elle est un vétéran du bonheur, alors que je ne suis qu'une débutante. Et puis, Juliette a une fille. Je ne peux pas lui enlever sa mère.

Oui, mais voilà, la vérité est là, dans mes tripes.

Aussi irrationnelle que puissante, inscrite au cutter dans ma chair.

Je veux vivre.

Je veux tomber amoureuse, avoir un enfant, surmonter mes peurs, voyager, respirer, chanter, rire, pleurer, m'émerveiller, savourer, tomber, me relever, me sentir exister. Je veux vivre pour tout ça. Et bien plus encore. Il y a quelques jours de cela, je n'aurais pas été capable de le formuler aussi clairement. Aujourd'hui c'est une telle évidence.

Je veux vivre et je suis prête à le crier sur tous les toits, moi d'ordinaire si discrète, si absente de ma vie.

Mais comment pourrais-je survivre à la mort de Juliette ?

Moi qui ai vécu trente-neuf années sans elle, je suis terrifiée à l'idée de la perdre. Cela peut paraître absurde de m'être mise à l'aimer si fort, en si peu de temps. Est-ce parce que Juliette est désormais la seule personne dont je puisse être sûre ? La seule à ne m'avoir jamais menti ? Puis-je être certaine qu'elle ne m'ait jamais menti, d'ailleurs ? Je ne sais pas, je ne peux pas le savoir, mais je m'accroche à cette idée.

On se raccroche à ce qu'on peut, lorsque tout bascule.

Soudain, en plein cœur de ce séisme, j'entrevois autre chose.

Une possibilité. Un éclair déchirant le ciel noir.

Une idée folle. La plus folle que je n'aie jamais eue.

La plus forte et la plus belle, aussi.

Je sens une poussée d'adrénaline. Tous mes sens sont en éveil. J'allume l'ordinateur de Juliette.

Se pourrait-il que… ? Est-ce possible ?

À mesure que je progresse dans mes recherches, mon cœur cogne plus fort. Je le sens sortir de ma poitrine.

Oui, tout ça a déjà été tenté. Ça existe. Ça a réussi, sur plusieurs dizaines de patients dans le monde. C'est exceptionnel mais ça existe. En France ? Oui, en France aussi.

Je vérifie de nouveau. Comme si j'avais pu me tromper… Je suis médecin, pourtant je n'avais pas entendu parler de cela auparavant. Il faut croire que d'autres médecins sont encore plus fous que moi. Prêts à tout tenter pour sauver une vie. Mon Dieu, ça existe vraiment. Ça a même un nom.

La greffe pulmonaire à partir de donneurs vivants.

Un poumon chacun pour sauver trois vies.

Ou plutôt, un lobe pulmonaire chacun.

Chacun d'entre nous possède cinq lobes pulmonaires : trois à droite, deux à gauche. La greffe pulmonaire à partir de donneurs vivants consiste à prélever un lobe à chacun des deux donneurs com-

patibles, et à les transplanter dans le corps du receveur. L'être humain est formidable, il est capable
de vivre avec un lobe pulmonaire en moins. Pour
les donneurs, le risque de mortalité n'est pas nul
– il ne peut jamais l'être –, mais il est très faible.
Et les séquelles sont la plupart du temps minimes.

Mon père est encore jeune, suffisamment
robuste pour subir ce genre d'opération, et il a toujours eu une hygiène de vie irréprochable : ses poumons sont aussi sains que les miens. Je ne peux pas
être certaine qu'il soit absolument compatible avec
Juliette – un parent ne l'est pas forcément –, mais
les chances sont très élevées puisque les tests ADN
ont confirmé ce que je savais déjà : il est bien notre
père, à toutes les deux.

L'espoir est là.

Je me mets à rire fort, toute seule, dans cet
appartement avignonnais, à cette heure avancée de
la nuit.

Je ris de ce jaillissement de vie sur la désolation.

Je ris de peur. De joie. De fierté. De détresse. De
bonheur.

Je ris de l'épreuve inouïe que je m'apprête à
affronter.

Je ris car je suis heureuse, en cet instant.

Heureuse d'avoir l'opportunité de nous réunir,
Juliette, mon père et moi.

Heureuse d'offrir à mon père la possibilité d'une

réparation. Qui ne remplacera pas ces trente-neuf années perdues. Mais qui peut transfigurer les trente-neuf prochaines.

Une telle greffe est-elle possible en «Super Urgence»? Est-ce possible en termes d'éthique, de faisabilité? Je n'en ai aucune foutue idée, mais ça vaut le coup de tenter. D'en parler à l'équipe médicale, d'essayer de les convaincre. Et vite.

Pour cela il faut que mon père soit avec moi, bien sûr.

Je dois le retrouver. Lui dire que je sais tout, désormais. Que ce qu'il a fait est impardonnable. Mais qu'il existe un chemin vers la rédemption. *Papa, tu peux offrir une deuxième vie à ta deuxième fille.* Cet acte sera tellement beau que je réussirai à te pardonner, ça aussi j'en suis certaine. Que Juliette te pardonnera à son tour. Sa famille te remerciera, nous remerciera. Cette épreuve nous rendra plus forts, chacun, et ensemble.

J'appelle mon père de nouveau. Il est 2 heures du matin.

Toujours pas de réponse. *Décroche, papa, décroche s'il te plaît.*

Deuxième essai. Troisième. Quatrième.

J'appellerai des millions de fois s'il le faut.

Un clic. Une voix embrumée, inquiète.

— Romane? Qu'est-ce que... Il ne t'est rien

arrivé, j'espère ? Pourquoi m'appelles-tu à cette heure de la nuit ?

Il n'a pas eu mes messages, il s'est fait voler son téléphone il y a deux jours, incroyable que ça arrive aussi dans des petits patelins comme ça. Il est parti quelques jours en Auvergne, à Saint-Paul-de-Salers. Il avait besoin d'air pur après ma venue dimanche, qui l'a... perturbé. Il s'excuse de nouveau pour la gifle. Il ne sait pas ce qui lui a pris. Il est tellement désolé, espère que je lui pardonnerai.

J'ai envie de tout lui pardonner, en cet instant. Pourvu qu'il accepte ce que j'ai à lui proposer. Mais je ne peux pas lui dire tout ça par téléphone.

— Où es-tu maintenant ? Toujours en Auvergne ?

— Non, à Montpellier. Je fais une halte avant ma prochaine étape, dans le Sud-Ouest. Romane... est-ce que... est-ce que tu serais d'accord de me rejoindre ? Je serais vraiment heureux, si tu acceptais de passer quelques jours de vacances avec moi... il est peut-être temps de se revoir un peu plus fréquemment, non ?

Tu ne peux pas savoir à quel point j'ai envie de te rejoindre, à quel point nous allons nous voir fréquemment dans les semaines à venir, papa.

Je réalise que si je vais à Montpellier, nous allons perdre de précieuses heures. Il serait bien plus efficace de nous rejoindre à Marseille. Je décide donc de lui donner rendez-vous là-bas.

— Papa, je suis en vacances moi aussi… j'ai établi un programme de visites en Provence, tu me connais, je suis toujours très organisée.

Je l'entends sourire à l'autre bout de la ligne.

— J'adorerais que tu me rejoignes, papa, à Marseille.

— Tu es sérieuse, ma chérie ? Toi, à Marseille, cela signifie que tu as pris le train ? C'est la révolution, Romane… C'est formidable, aussi. Ça signifie… que tu as réussi à surmonter ta peur des transports. Je suis… je suis fier de toi, Romane.

Il est ému, ça s'entend. C'est totalement stupide, mais ça me donne envie de pleurer. Il continue :

— Je te rejoindrai avec plaisir, ma chérie. Je n'avais pas vraiment réservé la suite de mon séjour, alors… Je sauterai dans le train demain matin, si tu veux bien me laisser dormir quelques heures.

Il rit de nouveau.

Son rire m'a manqué, je le réalise en cet instant. Ce rire qui a accompagné mes jeux d'enfant, les courses-poursuites dans notre appartement qui finissaient irrémédiablement en batailles de chatouilles, ce rire qui éclatait lorsque mon nez plongeait un peu trop dans la sauce de ses inénarrables pâtes aux légumes (sa spécialité ultime), ce rire qui

276

a ponctué toutes les grandes étapes de ma vie. Ce rire qui m'a toujours fait tellement de bien.

Nous prenons rendez-vous.

— Je t'attendrai demain vers 13 heures, sur le parvis de la gare Saint-Charles.

— J'y serai.

— Bonne nuit, papa.

— Bonne nuit, mon amour.

Une hésitation, de chaque côté du combiné.

— Je t'aime, Romane.

— Moi aussi, je t'aime, papa.

Il raccroche. Je fonds en larmes et je souris en même temps. Je me dis que ça doit faire comme un arc-en-ciel sur mon visage, mais je sais bien qu'il doit plutôt être question d'immondes coulures de mascara.

Qu'importe. J'ai désormais la certitude absolue que nous allons sauver Juliette.

23

Samedi

Si tu savais

Samedi matin. Le soleil est revenu sur Avignon. Comme si c'était moi qui contrôlais les choses désormais, y compris la météo. À midi pile, un taxi m'emmènera vers Marseille. Vers mon père, vers Juliette.

Il va falloir que je sois forte. Je dois parler à mon père de la manière la plus douce possible. Ne pas juger, pas maintenant. L'urgence, c'est Juliette. Je dois rester concentrée sur mon objectif : le convaincre de donner l'un de ses lobes pulmonaires à Juliette. Il ne faut en aucun cas le braquer en lui demandant de justifier l'injustifiable. La vérité viendra plus tard.

Je crois que nous allons réussir. Que mon père

sera compatible, lui aussi. Que Juliette vivra. Que nous vivrons. Je le crois, mais je connais les risques. Pour Juliette, ils sont immenses. Je sais bien qu'elle est loin d'être tirée d'affaire. Je sais bien qu'elle peut mourir, avec ou sans nos poumons. Pour mon père et moi, le risque de décès est quasiment nul. Mais tout est dans le *quasiment*. Je me méfie des *quasiment*. Il n'y avait *quasiment* aucune chance que cette inconnue débusquée par Mme Lebrun soit ma sœur jumelle. Et pourtant. Je ne peux pas savoir si demain Juliette sera toujours en vie. Je ne peux pas être certaine que moi-même je le serai toujours à l'issue de cette opération loin d'être anodine. Je l'espère de tout mon cœur, mais la vérité c'est que je n'en sais rien.

Au cours de cette nuit de douleur et d'espoir mêlés, j'ai rédigé deux lettres, que j'ai cachées dans le tiroir de la table de nuit de Juliette, puisqu'elles ne sont destinées à être lues qu'en cas d'issue dramatique.

La première est pour Paola et Gabriel. Dans cette lettre, je leur révèle tout ce que je sais. Leurs arrangements avec la vérité, ceux de mon père, le pacte que j'ai passé avec Juliette, et mon souhait de rompre le cycle du mensonge. Je veux que Marie sache tout des origines de sa maman, qui sont aussi les miennes, les siennes. Je sais la douleur de grandir avec un doute, un soupçon. Je sais la terreur d'être à jamais une fille floue, sans aucun visage attaché à ses racines. Je ne veux pas de cela pour ma nièce.

Ma seconde lettre est donc pour Marie. Dans cette lettre, je lui explique les raisons du silence de sa mère sur sa maladie, pour les préserver tous, pour la préserver, elle. Dans cette lettre, je lui répète que sa mère l'aime, qu'elle me l'a dit des dizaines de fois en quelques heures, et qu'elle sera toujours auprès d'elle. Je lui affirme que sa mère la sait forte, belle, intelligente. Promise à une vie extraordinaire. Cette lettre, c'est celle que j'aurais voulu recevoir de ma propre mère. Peut-être qu'elle m'aurait donné les ressources, la confiance nécessaire pour avancer sereinement dans la vie. Je me dis qu'une telle lettre d'amour ne peut que construire la femme magnifique que Marie deviendra. Dans cette lettre, je lui révèle aussi ce qu'il va se passer d'ici quelques minutes. Une dernière matinée, non pas avec sa mère, mais avec moi. Sa tante. Qui la connaît si peu, mais pour qui elle compte déjà tant.

À l'aube, je téléphone à Paola, lui demande si elle peut venir à la librairie ce matin avec Marie, car j'ai envie de l'embrasser – de les embrasser, toutes les deux.

— Il se passe quelque chose, ma belette ?

— Non maman, rien d'autre qu'une mère qui aime sa fille.

— C'est beau de dire une phrase comme ça, *tesoro*. Bien sûr qu'on va passer te voir. Pas longtemps, parce que je veux être au supermarché avant que tous les touristes ne débarquent…

— Aucun problème, maman.

— Dis-moi… est-ce que je pourrais garder Marie jusqu'au retour de Raphaël ? Je lui avais promis de lui faire un panettone et je n'ai pas encore eu le temps, alors je me disais…

— Aucun problème, maman.

Au vu de mes projets de ces prochains jours, c'était bien ce que j'avais prévu. Paola m'a devancée.

À 9 h 30, j'ouvre le magasin. Cinq minutes plus tard, Paola entre, avec Marie, qui me saute au cou. Je m'étonne de la voir totalement vêtue de bleu, elle m'explique que la semaine rose est finie, MélanieMélodie ayant décrété que l'heure était désormais au bleu. Nettement plus difficile à exécuter en termes de nourriture, alors le blanc est aussi toléré. Merci de cette sollicitude, chère MélanieMélodie.

Paola s'approche.

— Tu as de petits yeux, un peu rougis. Est-ce que tu as pleuré ?

— Non pas du tout, maman, je couve peut-être

une conjonctivite, j'attends quelques jours, je verrai bien si ça passe ou pas d'ici la fin du week-end...

Elle sourit.

— Si tu veux aller te balader avec Marie, je peux rester ici une demi-heure. Je suis ravie de t'aider à la librairie, on y rencontre des gens charmants... D'ailleurs, comment va ton adorable Désiré ?

— Maman, ça ne te regarde pas... et ce n'est pas *mon* Désiré...

— Comme tu voudras... *molto bello*, en tout cas. Tu as très bon goût... tu tiens forcément ça de moi... de toute façon il n'y a que pour le physique que tu ressembles à ton père... tout le reste vient de moi !

Paola éclate de rire, m'embrasse, dépose un baiser sonore sur la joue de Marie. Est-ce que Paola y croit, lorsqu'elle s'adresse à sa fille en faisant comme si elle ressemblait *vraiment* à son père ? A-t-elle pu refouler au fond de son âme qu'elle a été adoptée, a-t-elle pu se convaincre d'une autre vérité ? J'en suis certaine. Au fil du temps, ce qui était impossible est devenu la réalité : ils sont les vrais parents de Juliette. Dans leurs tripes, dans leur cœur, dans leur quotidien depuis trente-neuf ans. Il ne peut en être autrement.

*

J'emmène Marie avec moi, au cœur d'Avignon.

Sur la place de l'Horloge, qui bruisse déjà de mille éclats de voix, nous nous attablons à la terrasse d'un glacier, dont nous sommes sans doute les premières clientes. Le bleu chimique éclatant du parfum «bonbon Schtroumpf» a attiré Marie irrésistiblement. Elle insiste pour faire une photo «pour montrer à papa comme on suit bien le programme bleu». Je comptais me contenter d'un sage cornet au chocolat, mais je me lance moi aussi dans l'aventure de la glace schtroumpfante…

Nous restons quelques instants, et Marie propose de me montrer d'autres «œuvres» de MélanieMélodie. J'accepte avec joie.

Marie manie le téléphone avec une incroyable dextérité. Elle ne sait pas encore lire, mais elle se débrouille avec le contrôle vocal, que je ne sais pas utiliser. Cette génération biberonnée à YouTube est flippante. MélanieMélodie est flippante, elle aussi. Elle doit avoir vingt-cinq ans mais se comporte comme si elle en avait douze. Joue-t-elle un rôle, ou est-elle vraiment comme ça dans la vie? Je penche pour la deuxième hypothèse, et me dis que le monde est devenu fou.

Marie n'arrête pas de me dire qu'elle est «trop contente» de cette glace, de cette séance vidéo improvisée, et ça a l'air vrai. Son visage lumineux ne ment pas.

Nous revenons vers la librairie, et je fais durer notre marche, profitant de sa fatigue d'enfant pour la prendre dans mes bras. Je la serre contre mon corps, l'embrasse. Je ne suis pas capable de m'en détacher. Il va pourtant bien falloir. Je dépose un long baiser appuyé sur son front, lui murmure : « Au revoir ma petite belette que j'aime. » Je parviens à ne pas pleurer. Elle me serre en retour, sans insister. Elle ne sait pas qu'il faut qu'elle me serre fort, aussi fort qu'elle le peut, que la sensation même de ce dernier instant est fondamentale. Alors je lui propose de jouer à qui serre le plus fort. Elle me broie une mâchoire en riant, m'inonde de baisers, que je lui rends, le cœur lourd, les larmes planquées derrière une digue bien fragile.

Je regarde Paola emporter le petit colis bleu et blond dans ses bras. Je suis fière de moi. Je suis fière de ce que je m'apprête à faire. Je ne sais pas si je l'ai déjà été, dans ma vie. Il était temps. Je reste ainsi jusqu'à ce que la porte de la librairie se referme.

J'attends quelques minutes, m'assure que Paola et Marie sont bien parties. Puis je laisse couler mes larmes. Je les ai retenues, là, juste au bord, jusqu'à maintenant. Mais je ne peux plus. Je prends conscience de toutes ces choses à côté desquelles je suis passée dans ma vie. Par paresse, parfois. Par peur, souvent. Tout au long de ma vie, j'ai vécu dans la peur. La peur de tout, tout le temps. Alors qu'aucune menace ne planait sur moi. Je me suis censurée, je me suis barricadée derrière des paravents de papier, j'ai moi-même assombri mon quotidien, inlassablement. C'est idiot, vraiment, mais je réalise seulement maintenant que la peur de mourir m'a empêchée de vivre. Quoi qu'il en soit, je suis heureuse de ces quelques instants avec Marie. Un petit supplément. Une parenthèse de lumière.

*

Alors que je m'apprête à fermer la librairie pour une durée indéterminée, la sonnette retentit. Une voix familière s'élève :

— Vous êtes une femme bien étrange, Romane.

Désiré se tient dans l'entrée de la librairie. Il sourit. Un petit bouquet – visiblement artisanal – dans les mains. Je repense à ce que je lui ai dit hier matin, il y a une éternité.

— Désiré, je suis désolée. Vraiment, je ne voulais pas…

Il m'interrompt :

— Je sais, Romane.

Je le regarde. J'ai envie de le prendre dans mes bras, là, sur-le-champ. De l'embrasser sauvagement. Et plus, puisque affinités. Je n'ai pas peur, ce matin.

Il me tend les jolies fleurs.

— Ce sont des belles-de-nuit… Elles déploient leur beauté à la tombée du jour et se referment au petit matin. J'ai pensé qu'elles nous iraient bien, à tous les deux. Ces modestes fleurs sont une invitation à de nouvelles découvertes nocturnes. Je connais un pont particulièrement sympathique… mais j'ai d'autres ressources.

Je pourrais tout tenter. Je voudrais tout tenter, avec lui. J'en ai furieusement envie. Mais je ne veux pas le faire souffrir. Il ne doit pas s'imaginer… Je ne sais pas dans quel état je me réveillerai après le don de mon lobe pulmonaire. Je tente la métaphore animalière à base de papillons éphémères, je m'embrouille, je m'entends rire bêtement, j'ai quinze ans tout à coup. Désiré doit en avoir marre de m'entendre raconter toutes ces âneries, car il s'avance et pose un doigt sur ma bouche. Ce contact me pétrifie. Sa chaleur m'électrise.

Désiré penche son visage vers moi. Je peux sentir son souffle, son haleine mentholée. Cela fait des années que je n'ai pas vécu ça. L'ai-je déjà vécu, d'ailleurs ? Désiré m'embrasse. Lentement. Continue de s'approcher. Comment pourrait-il être plus proche ? Il le peut. Ses mains se font plus fermes. Je m'abandonne. C'est une sensation douce, moite, voluptueuse. Notre baiser a le goût d'un pop-corn à la menthe. Cette image me fait sourire. Il s'en aperçoit, desserre légèrement son étreinte. Suffisamment pour qu'un éclair de lucidité traverse mon esprit malade. Je ne peux pas. Je ne dois pas aller plus loin. C'est une pente glissante. Dangereuse. Les sentiments qui sont en train de monter en moi sont tels qu'ils pourraient égratigner ma volonté, ébranler ma détermination à aller jusqu'au bout. À risquer ma vie pour Juliette. À quelques heures de l'échéance, il n'est pas possible de débuter quoi que ce soit.

Je me dégage doucement de l'étreinte de Désiré. Lui dis que j'ai besoin de temps. Qu'il est terriblement séduisant. Mais que ce matin, je ne peux pas aller plus loin. Il sourit, me dit qu'il comprend. Que j'ai son numéro, désormais. Qu'il existe d'autres fleurs que les belles-de-nuit, qui vivent le jour et qui sont magnifiques, elles aussi. Que décidément, il a bien fait de s'approcher de cette librairie, ce jour de cocktail, il y a quelque temps. Qu'il attend mon appel. Je me mords la joue, hésite, puis l'embrasse une dernière fois, furtivement. Un baiser volé. Mon premier. Le dernier, peut-être.

*

Il est 11 h 50. La matinée est presque terminée.
Je commande un dernier taxi. Avignon-Marseille.

288

Cent euros minimum. La course de sa vie, vers celle de ma sœur. Je ne négocie pas le prix.

Il sera là d'ici quinze minutes.

*

Je m'assieds sur une chaise de la cuisine, mais je ne tiens pas en place. Je ne sais pour quelle raison, le fait de revoir Désiré a réactivé la sensation qui s'était logée dans mon ventre, cette sensation d'être passée à côté de *quelque chose*.

Elle est là, de nouveau. Elle grossit. Je suis tout proche du but.

Qu'est-ce qu'il a dit, ce jour-là sur le pont, punaise ?

Qu'est-ce qu'il a dit *aujourd'hui* ?

Je passe en revue mes sensations de l'instant. Ses gestes, ses paroles.

Soudain, l'évidence.

Le cocktail. Désiré a parlé d'un cocktail dans la librairie.

Ce cocktail qui l'a attiré, dont il m'a parlé sur le pont. Qu'il a évoqué de nouveau, il y a quelques minutes.

Dans l'ordinateur de Juliette l'autre soir, il y avait des photos de différents événements que Juliette a organisés dans sa librairie. C'est là que la sensation est née. Chaque évocation du cocktail l'a réveillée. J'ai vu *quelque chose* au sein de ces photos. *Quelque chose* qui ne m'a plus quittée depuis.

Je me rue sur l'ordinateur, l'ouvre frénétiquement. Il me reste dix minutes avant que le taxi n'arrive. Je me concentre sur le dossier de photos intitulé sobrement «Événements auteurs».

À mesure que je fais défiler les images, l'inquiétude grandit.

Une, deux, trois, quatre photos, non, non, non, non.

Cinq, six, sept, huit. C'est là.

Mon corps se raidit. Mon sang se fige, en même temps que mon regard.

Ce n'est pas possible. Comment ai-je pu passer à côté, l'autre soir ?

Mon père. Mon père, dans les photos de Juliette. Mon père, au milieu de la foule, sur une photo de rencontre d'auteur dans la librairie. Prise il y a moins d'un mois.

Je sens les larmes monter. Je zoome, je scrute. C'est bien lui, j'en suis sûre et certaine. Je continue mes recherches, et les larmes s'échappent. Mon père apparaît sur d'autres images. Pire encore. Sur l'un des clichés, il sourit, tenant dans la main une coupe de champagne qu'il partage avec Juliette.

Je suis prise de vertige, j'étouffe.

Je me répète que ce n'est pas possible. J'ai besoin de m'allonger.

Tout s'écroule. Je n'ai plus aucune certitude.

Je répète une même phrase, en boucle.

Une phrase dont je ne saisis pas encore toutes les implications.

Juliette et mon père se connaissent.

Cette fille-là

À quel moment cela a-t-il commencé ?

Le phénomène est difficile à dater tant j'ai désormais l'impression étrange que ce mal sournois, indicible, a toujours été là. Une corrosion, logée à l'intérieur de mon corps. Une lame, un scalpel aiguisé planté dans mes plaies, toujours fraîches. Alimentant un ulcère à l'estomac dont tu n'as jamais rien su, Romane. J'ai toujours considéré que c'était un moindre mal, un châtiment mineur, comparé à l'immensité de ma faute.

Depuis des décennies désormais, je suis rongé, dévoré par ce que l'on appelle communément le remords.

Depuis des décennies, je sais que j'ai pulvérisé une part de ma vie, une part de la tienne. Une part de la sienne.

Juliette. Mon autre fille. Ta sœur.

Lorsque tu as soufflé tes vingt bougies, quelque chose en moi s'est mis en mouvement. Bien sûr, le mal était fait. Ce mal, je l'avais décidé. Quoi que je fasse, je ne pourrais rien y changer. Jamais. Mais je devais savoir ce que Juliette était devenue. Si elle était heureuse. J'avais l'intuition – l'espoir – de son bonheur. Ou bien était-ce un moyen de me dédouaner, d'apaiser mes douleurs ? Je devais en avoir le cœur net. Plus tard, il serait trop tard.

À vingt ans, on a encore la vie devant soi.

À vingt ans, je pouvais encore avoir un impact sur celle de Juliette.

J'ai engagé un détective privé. Comme dans les séries B. Moins glamour, plus caféiné, le physique plus proche de l'ours que de la star hollywoodienne. Mais d'une efficacité redoutable. Quelques contacts dans les administrations adéquates, une somme d'argent conséquente, et le nom et l'adresse de Juliette m'étaient fournis. Nous étions en mars 1996.

Le jour où j'ai appris qu'elle portait toujours le prénom que j'avais griffonné à la va-vite ce jour de détresse infinie, ce prénom que votre mère avait choisi, l'émotion m'a submergé. Juliette était non seulement vivante, mais elle était aussi restée Juliette. Lorsque l'on m'a tendu une photographie prise à la dérobée de la jeune femme qu'elle était, mon corps s'est mis à saigner, au sens propre. Juliette te ressemblait tellement. *Le jour de la naissance, il m'avait été impossible de savoir si vous étiez de fausses ou de vraies jumelles. Cette photo ne laissait aucune place au doute. J'ai dû être hospitalisé quelques jours, pour soigner cet ulcère. Je suis parvenu à te le cacher. Tu étais en troisième année de médecine, tu avais d'autres préoccupations. Tu avais trouvé assez sain que je m'octroie enfin de vraies vacances.*

Il m'a fallu encore quelques semaines pour me décider. J'avais formé l'idée un peu insensée de m'immiscer dans la vie de Juliette. D'une façon ou d'une autre. Je ne voulais pas être intrusif. Le détective m'avait indiqué que Juliette semblait en pleine santé et heureuse. Si jeune, et pourtant déjà sûre de son chemin. Elle était employée dans une librairie d'Avignon, où sa famille était installée. Sa famille. Pas nous. Pas moi. Ces mots m'ont toujours fait mal. J'en suis le seul coupable.

Ce n'est que treize ans plus tard qu'elle a ouvert Les Mots de Juliette. *Je l'y ai incitée, puis aidée. Je vais y venir.*

En mai 1996 – je m'en souviendrai toujours –, j'ai rassemblé mes forces, et décidé de la rencontrer. De nouer des liens avec elle. À défaut d'avoir été un père, j'ai espéré devenir un ami. Avant même de lui parler, je m'étais clairement formulé les limites de mon intervention. Si ce que le détective m'avait indiqué était vrai, si Juliette était heureuse avec sa famille adoptive, il était hors de question que je vienne saccager son bonheur. L'heure était à la réparation, en douceur, à dose homéopathique. Je devais respecter sa vie, intervenir avec parcimonie, discrétion. Je ne révélerais jamais ma véritable identité. Mentir, de nouveau. Mentir, encore et toujours. Ma vie n'est finalement que mensonge. Mais elle est ma vie.

Un matin, je me suis présenté à la librairie qui employait Juliette. J'ai erré dans les allées. Je n'osais pas la regarder. Je savais qu'elle était là, j'avais aperçu sa chevelure rousse, penchée sur l'un des présentoirs. Au bout de quelques minutes, elle a fait son travail. Elle est venue me parler. M'a demandé ce qu'elle pouvait faire pour moi. J'ai planté mes yeux dans les siens et j'ai senti les larmes monter. J'ai eu envie de lui répondre : « Tout. » J'ai répondu : « Rien. Merci mademoiselle, je regarde, simplement. » Elle a hoché la tête, a souri, et ajouté machinalement que si j'avais besoin d'elle, elle serait là. Je l'ai laissée s'éloigner, me suis retourné, le visage dévasté, et j'ai marmonné : « Moi aussi. »

À partir de là, j'ai commencé à prendre quelques jours de repos chaque mois. Ça n'est pas la version que je te donnais, Romane, mais ces quelques jours, je les passais à Avignon.

Je suis devenu un client régulier de la librairie. Je me suis fait appeler « Monsieur Joseph », et j'ai commencé à nouer des conversations littéraires avec

Juliette. Ma fille. Devenue ma libraire attitrée. Elle me conseillait quelques ouvrages avec son enthousiasme, sa joie, sa verve si communicatifs, je les lisais dans le mois qui suivait, et nous en parlions à mon retour, quelques semaines plus tard. Nos conversations s'allongeaient. J'avais repéré les jours creux, les jours où Juliette avait plus de temps à accorder à ses clients fidèles. Ces quelques heures passées auprès d'elle étaient magiques. Je n'ai pas peur de le dire.

J'ai rencontré ses parents adoptifs, à la librairie. Au début, l'exubérance de Paola m'a fait peur. Par certains aspects, elle me rappelait ma propre mère. Mais j'ai vite saisi l'amour inconditionnel qui les unissait, toutes les deux. Quant à son père, Gabriel, Juliette l'évoquait parfois, un grand sourire sur les lèvres. Je donnais le change bien sûr, mais à chaque fois mon cœur se serrait. Le jour où je les ai vus, tous les deux, ensemble, il s'est déchiré. Cela m'a fait mal, de regarder vivre cette famille. Je me suis demandé laquelle de vous deux avait eu le plus de chance, finalement. En abandonnant Juliette, je lui ai offert la possibilité d'un vrai foyer. En te gardant auprès de moi, Romane, je t'ai condamnée à mes angoisses, t'ai exposée à l'expiation feutrée de mes fautes les plus abjectes. Je ne suis pas aveugle. J'ai très vite compris que de mes deux filles, Juliette était la plus épanouie. Et que je n'y étais pour rien.

Quoi qu'il en soit je suis infiniment reconnaissant

à ces autres d'avoir recueilli Juliette, de l'avoir si bien élevée, de lui avoir donné autant d'amour. Elle le méritait.

Je me suis détesté, toutes ces années. J'ai voulu réparer le mal. Apaiser ma conscience. Elle ne le sera jamais vraiment.

Je n'ai jamais su donner la juste dose d'amour, je m'en rends compte aujourd'hui. Tout ce que je souhaitais, Romane, c'était te montrer que je t'aimais. Je ne voulais pas t'étouffer. Mais je n'ai pas su faire autrement.

La seule chose que je pouvais obtenir, du côté de Juliette, c'était cette sorte de lien bienveillant libraire-client. Et je pouvais agir dans l'ombre, améliorer discrètement son quotidien, comme un ange gardien.

C'est ce que j'ai eu l'occasion de faire, lorsque j'ai senti que Juliette commençait à tourner en rond, dans cette librairie qui n'était pas sienne. Nous étions en 2009, les plateformes de financement participatif commençaient à éclore. Je l'ai incitée à se renseigner, à lancer une campagne, afin de financer un début d'activité de libraire indépendante, à son compte. Elle l'a fait. Trois cents contributeurs anonymes ont soutenu son projet. C'était fou. Juliette était surexcitée. Elle m'a remercié mille fois de lui avoir donné cette formidable idée. Nos liens sont devenus plus forts. Comment dire… privilégiés.

Parmi ces trois cents contributeurs, il y en avait environ deux cents qu'elle ne connaissait pas. Des pseudonymes, des versements. J'étais ces deux cents, évidemment. J'ai fait deux prêts dans deux banques différentes, toutes mes économies y sont passées. Mais j'étais tellement heureux de contribuer, modestement, à une part de bien-être de Juliette. C'était si peu.

La même année, Juliette est tombée enceinte, et j'ai senti que je pouvais tenter quelque chose de plus important. Je voulais inscrire symboliquement cette enfant, ma première – et à ce jour ma seule – petite-fille, dans notre famille. Juliette avait des idées de prénom extravagantes. Des prénoms à diphtongue, des prénoms « mode ». Nos échanges l'ont fait évoluer, j'en suis certain, vers plus de classicisme. Assez vite, j'ai introduit dans la discussion le prénom de votre mère. Elle l'a tout de suite trouvé charmant. Dès lors, j'ai augmenté la fréquence de mes visites, et je n'hésitais plus à appeler l'enfant à naître « Marie ». Ce qui faisait dire à ta sœur quelque chose comme « Vous exagérez, monsieur Joseph... », en riant. Lorsque Juliette rit, lorsque tu ris, Romane, je vois Marie, votre mère. Chacun de vos rires me brise le cœur et le répare, à la fois.

L'idée a fait son chemin. Jusqu'au dernier moment, je n'étais pas sûr de son choix. Et je ne connaissais pas Raphaël, je n'avais eu aucune prise sur lui.

Lorsque l'enfant est arrivée, Juliette m'a envoyé un simple SMS.

« Marie est née ce matin. Merci, monsieur Joseph. »

Ce fut l'un des plus beaux jours de ma vie.

24

Samedi

Ainsi soit-il

Il est 12 h 03. J'aperçois le taxi, stationné en face.

Je suis totalement perdue.

Suis-je manipulée par tout le monde ? Dans quel but ? J'essaie de distinguer le vrai du faux, mais je n'y parviens pas.

Je ne comprends plus rien.

Pourtant, je dois y aller. Car deux choses sont absolument certaines : Juliette est ma sœur, l'ADN ne ment pas. Et Juliette va mourir si elle n'est pas greffée dans les jours qui viennent – jamais le personnel d'un grand hôpital ne jouerait la comédie sur un sujet aussi grave, nous ne sommes pas dans le *Truman Show*. Quelles que puissent être les explications de ces photos de mon père et Juliette réunis, ma décision ne changera pas. Je me répète que je n'ai pas le choix, mais me rends compte que si, justement, je l'ai toujours eu. Je l'ai toujours. J'ai choisi de donner à ma sœur une chance de survivre.

Je jette un dernier coup d'œil à l'appartement. C'est donc là que s'achève cette histoire. Ne pas flancher. Rester solide. Courageuse. Droite dans mes bottes. Ce que je m'apprête à faire est l'acte le plus difficile que je n'aie jamais eu à exécuter, bien sûr. Un tel don est loin d'être sans danger. Je ne peux pas être certaine d'en sortir intacte, je le sais pertinemment.

Je descends les marches, une à une. Je prends le temps. Je ne suis pas à quelques secondes près. C'est étrange, c'est la première fois de mon existence que j'ai une conscience aussi aiguë de mon propre corps. J'ai l'impression de ressentir jusqu'au moindre mouvement de fluide. Les pulsations du sang dans mes tempes. Les battements de mon cœur, qui s'accordent, dans une esthétique quasi parfaite, au rythme de mes pas. À mesure que je me rapproche de la rue, la pessimiste en moi s'apaise, une bonne fois pour toutes. Je me force à ne voir que le positif, le bonheur. Je dis adieu à ma vie d'avant, car quoi qu'il advienne, je sais que désormais tout sera différent. Ou ne sera plus. Je suis à Cannes, ma montée des marches est une descente.

Sur la marche n° 3, le goût de la glace partagée avec Marie quelques instants plus tôt.

Sur la marche n° 4, la saveur sucrée du baiser de Désiré.

Sur la marche n° 10, la voix de mon père, son timbre si doux, ses « je t'aime ».

Sur la marche n° 12, son sourire à la sortie de l'école, lorsqu'il me prenait dans ses bras, me couvrait de baisers, m'appelait son petit amour, et me tendait un morceau de pain chaud.

Sur la marche n° 15, toutes les fêtes de Noël de mon enfance, les bougies, les chants, les guirlandes lumineuses, les jouets tant espérés. Le sourire de mon père, encore et toujours.

Sur la marche n° 17, la photo de mes parents. Si belle, si parfaite. Je l'ai tellement scrutée. Je l'ai tellement aimée, cette photo. Ce sera sans doute l'image que je convoquerai, au tout dernier instant. Même si elle n'existe pas.

Sur la marche n° 20, ma mère. Toute ma vie, j'ai pensé lui être inférieure, ne pas mériter d'exister à sa place. Ce matin, j'ai douté. Peut-être qu'il n'y a pas d'un côté les êtres solaires et de l'autre les moins que rien. Peut-être que ma mère aurait été fière de moi. Qui sait ? Alors que Juliette ou moi allons peut-être la rejoindre, la rencontrer pour la première fois, je me demande si elle savait. Avait-elle conscience d'abriter, au creux de ses entrailles, deux jumelles, deux sœurs rigoureusement identiques ? Savait-elle que la vie les séparerait ? Comment imaginait-elle ses trente-neuf années avec elles ? Je suis certaine qu'elle nous aurait aimées, toutes les deux. Sans condition. Je suis certaine qu'elle savait. J'en ai l'intime conviction.

Sur la dernière marche, le sourire de Juliette. Il va revenir. Avec ou sans moi. Il illuminera les jours de merveilleux êtres humains. Il brillera trois fois plus, puisque désormais nous serons trois à le faire exister.

Parvenue dans le hall d'entrée de l'immeuble, je sens mon portable vibrer.

Numéro inconnu.

Je décroche.

Au même instant, j'ouvre la porte.

Les sons, les images se télescopent. Une cacophonie dont j'ai du mal à capter les éléments essentiels.

Je me concentre, plisse les yeux afin de mieux voir, mieux entendre.

Je perçois avec clarté une voix dans le combiné. Il est question de Juliette.

Il est arrivé quelque chose à Juliette.

Non, au contraire. Juliette s'apprête à entrer au bloc opératoire.

304

Ils ont trouvé. Ils ont trouvé. Ce n'est pas possible. C'est miraculeux.

Je me mets à trembler.

Devant moi, une vision incompréhensible.

Mme Racine se tient debout, là. Elle pleure.

À ses côtés, une tête baissée, une silhouette familière. Le visage se relève. Dévasté, lui aussi. Mme Lebrun est là. Elle est en larmes.

Je ne comprends rien de ce qui est en train de se dérouler sous mes yeux.

Je regarde mieux.

Mme Lebrun tient dans ses mains, contre son cœur, ce qui ressemble à un classeur. Elle me le tend lentement. Elle tremble, elle aussi.

J'éloigne mon téléphone. Je demande à la voix féminine à l'autre bout du fil de patienter. Je n'ai jamais su faire plusieurs choses à la fois.

Je lis ce qui est écrit sur la couverture du classeur que me tend Mme Lebrun.

Et soudain, je comprends tout.

Je comprends les mensonges. Les silences. Les photos.

Je comprends que les miracles n'existent pas.

Je serre le classeur de toutes mes forces. Et je m'effondre, au ralenti, contre les jambes de Mme Racine et Mme Lebrun.

Cette mort-là

Lorsque j'ai appris la maladie de Juliette, quelque chose s'est brisé en moi. Définitivement. Juliette était parvenue à cacher son état à son entourage, à ses proches. Je n'en faisais pas véritablement partie. Alors avec moi, Juliette s'est moins méfiée. Un jour, elle a pris un appel en ma présence. A pris soin de s'éloigner, de parler bas. Mais je l'ai entendue répéter un horaire de rendez-vous. Et un lieu. Samedi 11 juillet. Hôpital Nord. Service de pneumologie. Je l'avais entendue tousser, ces derniers mois, comme tout le monde. Mais elle balayait tout d'un revers de main, d'un rire. Rien n'était grave, tout était léger. J'avais envie d'y croire, probablement. Cette fois-ci, après avoir raccroché, son air était empreint d'une gravité que je ne lui connaissais pas. J'ai frémi, bien sûr. Je n'ai rien dit, sur le moment, mais je l'ai suivie, ce samedi 11 juillet, dans les couloirs de l'hôpital Nord, à Marseille.

C'est moi qui l'ai vue, totalement détruite, sortir du bureau du chef de service de pneumologie. Je me suis éclipsé discrètement, mais je n'ai pas pu résister. Je ne pouvais pas la laisser dans cet état. Je devais jouer mon rôle de père, pour une fois dans ma vie. Consoler ma petite fille en détresse. Alors j'ai fait semblant de la rencontrer par hasard, dans le hall d'accueil – je lui ai expliqué que l'un de mes proches était hospitalisé ici pour une fracture du col du fémur. Elle n'a pas pu me mentir. Elle était en larmes. Nous nous sommes assis, avons siroté ensemble un café d'hôpital trop sucré. Je l'ai prise dans mes bras, pour la première fois. Et elle m'a tout raconté. Sa fibrose pulmonaire. L'annonce qui venait de lui être faite d'une dégradation soudaine. Le besoin d'une greffe, qui se rapprochait. Le secret. « Monsieur Joseph, désormais vous êtes le seul au courant. Je ne vous l'aurais jamais dit, si nous ne nous étions pas rencontrés ici. Personne d'autre que vous ne doit jamais savoir. Ni Marie, ni mes parents. Vous devez me promettre de ne rien dire, de ne faire aucune allusion à ma maladie, jamais. »

J'ai promis. J'ai menti. Pour la sauver.

Je suis rentré à Paris. Sous le choc.

Juliette pouvait mourir. Bientôt. Très bientôt. Encore une fois, j'allais la perdre. Je ne pouvais pas.

Je revoyais Marie, ta mère, Marie, ta nièce, les deux images se superposaient, je devais trouver un moyen de détourner le destin. La personne qui méritait de mourir, ça n'était pas Juliette. C'était moi. Je suis conscient d'avoir volé sa vie à Juliette. D'avoir volé vos vies, à toutes les deux. Le moment était venu, non pas de compenser par des actes mineurs – une librairie, un prénom d'enfant – mais par quelque chose de bien plus grand. Jusque-là, j'avais toujours considéré comme inconcevable le fait de dévoiler ma véritable identité. J'avais peur de briser la stabilité, le bonheur de Juliette. Mais maintenant la situation était différente. La famille de Juliette tolèrerait mon intrusion posthume, si elle avait pour but de la sauver. J'en étais convaincu. Je le suis encore. Quoi qu'il en soit, l'occasion m'était donnée de réparer pour de bon. De donner naissance à Juliette une seconde fois. Et de vous réunir, enfin.

Romane, je ne sais pas si tu trouveras la force de me pardonner. J'ai écrit ce journal pour toi. Je voulais que tu saches. Je ne veux plus rien te cacher. J'ai menti trop longtemps. Je n'ai pas eu le courage de te raconter tout ça en face. Je n'aurais pas pu soutenir ton regard. Je n'aurais pas supporté de voir l'amour se faner, s'éloigner. Je t'aime de tout mon être. Je suis fier de toi. Tu es ma seule réussite. Mon unique amour, depuis trente-neuf ans. Tu es belle. Tu es intelligente, talentueuse, drôle, incroyablement forte.

N'en doute jamais. Je serai toujours là, quelque part, pour toi. Dans ton cœur, je l'espère.

Suzanne, que tu appelles toujours Mme Lebrun, depuis tout ce temps, et qui se tient probablement devant toi à l'instant, a été, depuis de nombreuses années maintenant, bien plus qu'une amie pour moi. Je sais que tu t'en es doutée. Elle a été à mes côtés lorsque j'allais mal. Elle m'a soutenu, je lui ai raconté ma vie. Toute ma vie. Elle aussi a vécu son lot de souffrances. Alors nos deux douleurs se sont tenu compagnie. C'est elle qui m'a encouragé à retrouver Juliette, il y a vingt ans. Lorsque je lui ai révélé mes intentions, mon souhait de sauver Juliette, elle m'a écouté. A accepté ma décision, même si cela lui a brisé le cœur. Alors elle m'a aidé. Je voulais, plus que tout, que Juliette et toi vous rencontriez. J'étais sûr que vous vous aimeriez follement, dès l'instant où vous vous verriez. Je savais que tu aurais besoin de soutien lorsque tu apprendrais ma mort, je voulais que tu te projettes, que tu sortes de ta solitude. Quoi de mieux qu'une sœur inespérée, au début d'une seconde vie, pour en amorcer une nouvelle toi aussi, sans moi ? Et puis, je crois que je ne me serais jamais pardonné, si je ne vous avais pas donné l'occasion de vous rencontrer, et de vous aimer. J'avais, au fond de moi, toujours gardé cet espoir fou de vous réunir. Suzanne t'a joué – apparemment à merveille – la scène que nous avions écrite. T'a orientée vers l'hôpi-

310

tal Nord. Là-bas, tu t'es finalement débrouillée toute seule. Sinon nous t'aurions aidée, bien sûr.

Je savais que je pouvais donner mes poumons à Juliette. Je suis médecin, de formation en tout cas. Je connais les risques, les impossibilités. Malgré toute la volonté du monde, un parent et son enfant ne sont pas nécessairement compatibles pour le don d'organe. J'ai toujours voulu te protéger, coûte que coûte, tu le sais. Il y a quelques années de cela, lorsque tu as fait cette crise de coliques néphrétiques qui t'a paralysée de longs jours, j'ai imaginé le pire, tu me connais. L'idée de t'offrir un rein au cas où tu en aurais besoin m'a traversé l'esprit. Ça n'est pas banal, mais ma vie n'a jamais été banale, mes craintes n'ont jamais été banales. Alors j'avais fait réaliser, sans te le dire, des tests de compatibilité immunologique entre nous deux. Puisque nous étions compatibles et puisque Juliette est ta jumelle, je suis compatible avec Juliette également. J'ai soixante-cinq ans, je n'ai jamais fumé, je suis en pleine forme, mes poumons peuvent encore servir de nombreuses années, j'en suis convaincu. Et par rapport à Juliette, officiellement, légalement, je suis un parfait anonyme.

Dimanche dernier, après notre douloureuse confrontation, j'étais anéanti. J'étais tellement désolé de t'avoir giflée. Lorsque j'ai compris que tu doutais que je sois ton père, lorsque tu as évoqué le regard réprobateur de ta mère, cela a été plus fort que moi.

Je ne pouvais pas entendre ces mots, j'ai voulu qu'ils cessent. Je m'en voudrai jusqu'à la dernière seconde. Je t'ai menti ce jour-là, encore une fois, pour n'éveiller en toi aucun doute sur mon sombre dessein. J'espère que tu arriveras à me comprendre, un jour.

Puis j'ai compris que tu étais repartie pour Avignon, mais j'avais perdu ta trace. Tu n'as plus répondu à mes messages. Sans nouvelles de toi, j'étais mort d'inquiétude. Je ne pouvais plus me présenter moi-même à la librairie désormais, je ne savais pas si je t'y trouverais, je ne pouvais pas prendre le risque. Si tu avais tout compris, tu aurais tenté de m'empêcher de faire ce que j'avais à faire. Cela aurait été plus dur encore, pour nous tous. Suzanne non plus ne pouvait pas prendre ce risque. Alors j'ai mis Mme Racine dans la confidence.

Mme Racine est une amie. Nous nous sommes rencontrés à la librairie, il y a une dizaine d'années. J'ai tout de suite adoré ses extravagances : ses tenues d'un classicisme si travaillé qu'il en devient baroque, sa volonté de ne pas révéler son prénom, et d'opérer sous ce pseudonyme, hommage à son auteur de théâtre favori, ses distributions de petites notes de bonheur poétiques au sein des livres. La dernière était pour toi, j'ai toujours adoré ce poème de Marguerite Yourcenar, j'ai pensé qu'il était parfaitement adapté à la situation. Parfaitement beau, rempli d'espoir et de vie, aussi. Lorsque j'ai connu Mme Racine, j'ai tout de suite senti sa solitude. Nous nous sommes vus en dehors de la librairie – en tout bien tout honneur, bien entendu. Nous nous sommes liés d'une amitié sincère. Je n'avais jamais révélé à Mme Racine la nature exacte de mes failles, mais je savais qu'elle comprendrait le moment venu, elle aussi. Je n'avais pas le choix. Je devais savoir où tu étais, où était Juliette. Mme Racine n'a vu que l'une de vous. L'autre était introuvable. Mais Juliette était étrange. Juliette avait l'air gênée parfois, avec les clients. Et surtout, Juliette n'a pas reconnu Mme Racine. Juliette n'était plus Juliette. Lorsque j'ai pris conscience de votre petit manège, de cet échange incroyable que vous avez réussi à mettre en place, j'ai été pris d'une terreur indicible.

Je te connais, Romane. Je te connais parfaitement. Je savais que cette situation était dangereuse. Je savais que dans ton esprit – aussi tortueux que le mien – allait se former l'idée du sacrifice. Mais je ne savais pas ce que Juliette t'avait dit exactement. Alors je suis allé voir ta sœur à l'hôpital, il y a deux jours. Son état s'était dégradé. Elle ne pouvait plus parler, mais elle avait écrit. Pour ses parents, pour Marie, pour toi. Ta sœur est une femme formidable, Romane. Elle aussi avait compris que si tu savais qu'elle n'était pas atteinte d'un cancer mais d'une fibrose, tu envisagerais ce qui était pour elle inenvisageable : risquer ta vie pour la sienne. Alors elle t'a menti. T'a parlé de cancer. C'était un demi-mensonge, puisque quelques

313

semaines auparavant, c'était l'une des possibilités qui avaient été envisagées. Elle voulait te protéger.

J'ai compris que toi aussi tu étais allée à l'hôpital lorsque tes appels se sont faits plus insistants, la nuit dernière. Puis lorsque tu m'as donné rendez-vous à Marseille, j'ai compris ce que tu avais en tête. J'ai compris que tu ne renoncerais pas, que tu irais jusqu'au bout. Que je devais agir vite, que c'était maintenant.

C'est à moi de sauver Juliette, à moi seul. Je ne veux prendre aucun risque te concernant, Romane. Moi aussi, j'ai pensé à cette possibilité. Le don d'organes en parfaite communion. Mais c'est un acte rarissime. Qui se prépare longtemps à l'avance, passe devant des instances d'éthique s'assurant que les liens familiaux entre les donneurs et le receveur sont suffisamment forts. Il est loin d'être certain que notre situation aurait été vue favorablement par ce genre d'instance. Un père repenti, ayant abandonné sa fille quarante ans en arrière, une sœur jumelle qui n'a aucun lien officiel avec la malade… tout ça ne va guère dans le sens d'une décision rapide, évidente. Et le temps pour Juliette est compté.

Cette nuit, j'ai compris que c'était la dernière fois que j'entendrais ta voix.

J'étais déjà à Marseille, tout était prêt. J'attendais le bon moment, le signal.

314

Aujourd'hui je quitte ce monde le cœur rempli de joie.

Je laisse tous les mensonges derrière moi. Je dois m'en détacher, maintenant. Je te demande pardon, Romane, à nouveau. Je vous demande pardon à toutes les deux. Pour tout. Pour vos vies, pour ma mort.

Mon cœur est apaisé, car même si je n'ai jamais cru en l'au-delà, à quelques instants de me lancer, je me dis que je vais peut-être retrouver votre mère. Ce serait tellement merveilleux. Je m'accroche à cette idée. Et à l'image de vous deux, mes filles, réunies pour le restant de vos vies.

Vous avez encore tellement à vivre, à partager.

Vivez, soyez heureuses, mes amours, mes reines.

Je vous aime.

Papa.

25

Elles

La douleur est immense.

Je crois que je n'ai jamais rien ressenti de tel.

Je dois m'obliger à penser à autre chose. Détourner mon cerveau de toute cette souffrance. Terrible.

Les images défilent à toute vitesse. Ou plutôt, les images défilent lentement. J'ai tout le temps de les observer.

C'est curieux, la mémoire. La première image qui revient, celle qui restera à jamais gravée sur ma rétine, c'est une image que je n'ai jamais vue. Celle que j'ai inventée. Une mort de papier glacé. Sans éclaboussure. Céleste. Pure. D'une beauté cruelle, foudroyante. Mon père. Offrant son dernier souffle, et tous les suivants, à sa deuxième fille.

La douleur revient. Plus forte encore. Indescriptible.

Autre image. Deux femmes, en larmes. Deux femmes aimantes, protectrices. Deux femmes admirables. Je les connais mieux, maintenant. Traverser un moment comme celui-ci, ensemble, cela crée un drôle de lien. Un lien indestructible. Les larmes de Mme Racine, les sanglots muets de Suzanne Lebrun. En cet instant précis où les douleurs s'entremêlent, cette image me semble belle, elle aussi.

Je ne peux plus bouger. Je suis face à moi-même. J'épuise mes dernières ressources. Mes dernières forces. Je retiens les cris. Je serre les poings.

Je vois Juliette. L'expression d'incrédulité sur son visage diaphane, lorsqu'elle a ouvert les yeux, et qu'elle m'a vue, là, devant elle, au beau milieu de sa famille. Cette famille qui lui a menti, toutes ces années. Par excès d'amour. Cette famille à laquelle Juliette a pardonné tout de suite, sans condition, si ce n'est qu'ils continuent à s'aimer de la même façon, que rien ne change jamais entre eux. Cette famille qui m'a tout de suite intégrée, acceptée, aimée. À laquelle j'appartiens, désormais. Moi qui n'en ai plus d'autre. Moi qui suis maintenant la deuxième fille, celle qui a été abandonnée, à trente-neuf ans. Il y a deux ans.

Je vois Juliette. Son combat pour revenir à une

vie normale. Long. Difficile. Nous n'aurions jamais cru que ce serait si long, si difficile. Mais Juliette est là, et bien là. Sa vie est redevenue comme avant. Non, mieux qu'avant. Plus riche. Sa saveur n'est plus la même. Les goûts, les sons, la puissance des couleurs, tout est amplifié. Juliette vit plus intensément. Je vis, tout simplement. Nous sommes des survivantes. Nous sommes nées une deuxième fois, en ce samedi de juillet 2015. Les médecins affirment à Juliette qu'elle a le souffle d'une jeune fille. Nous savons bien qu'elle a celui d'un homme, dans la soixantaine. Lorsque l'hôpital a compris le lien entre nous tous, il était trop tard. Le mal était fait. Le bien était fait. La volonté de notre père, en tout cas. Nous savons que notre cas est étudié, en ce moment même, par les instances d'éthique. Dans le plus grand secret, car il pose un problème majeur, dans un pays où l'euthanasie n'est pas autorisée. A-t-on le droit de choisir sa fin de vie ? A-t-on le droit de choisir d'offrir sa vie ? Ne risque-t-on pas d'encourager des générations de parents à se sacrifier pour sauver leurs enfants ? Je ne crois pas. Notre cas est exceptionnel. Si nous avions officiellement été une vraie famille, un tel acte sacrificiel aurait été impossible, et tant mieux. Je suis convaincue que le don d'organes doit rester anonyme. Les mentalités progressent. De plus en plus de personnes se déclarent donneuses. Et d'ici quelques années, les progrès de la science, de la médecine, seront tels que l'on pourra greffer des appareils artificiels, j'en suis certaine. L'histoire est en marche. Nous n'en sommes que les femmes des cavernes.

Je pousse un long hurlement qui déchire l'espace. Je ne sais plus quoi faire. J'ai peur de perdre connaissance. J'essaie de réguler mon souffle. Ça n'a jamais été mon fort.

Je sens un afflux d'euphorie dans mes veines lorsque je repense à ce que Juliette et moi avons vécu, depuis. Nous avions trente-neuf années à rattraper, alors nous avons décidé de nous les raconter, consciencieusement. Juliette a fermé sa librairie avignonnaise, j'ai fermé mon cabinet parisien. Nous sommes parties trois semaines, en tête à tête, dans un gîte en plein cœur des Alpes, emportant avec nous toutes sortes de photos et d'objets ayant marqué nos vies de leur empreinte, parfois profonde, souvent superficielle, futile. Trois semaines, juste elle et moi. Les deux premiers jours ont été consacrés à explorer nos histoires familiales, l'histoire de nos parents, les vrais, les adoptifs. Plus tard, nous avons replongé à fond dans les années 90, nous sommes habillées de guêtres fluo, avons dansé sur Madonna, Prince, George Michael, les Cranberries, Ace of Base. Nous avons tellement ri en relisant quelques pages oubliées de nos agendas de lycéennes, en observant l'évolution de la chevelure de Juliette au cours des époques et des modes. Nous avons tellement pleuré, aussi, sur tout ce que nous n'avons pas vécu ensemble, toutes ces bribes d'enfance que nous ne vivrons jamais à deux. Ces quelques jours ont été parmi les plus intenses de ma vie. Mais ma vie ne fait que commencer, j'en suis consciente désormais.

En attendant, j'ai l'impression que je suis en train de mourir.

Ça n'est pas possible de souffrir comme ça, encore de nos jours. On continue de me répéter que c'est normal d'avoir mal. C'est vrai, je l'ai choisi. Maintenant je regrette cette décision, mais il est trop tard pour faire marche arrière. Je sens comme un coup de poignard dans mon ventre. Je serre les dents.

Et la main de Désiré.

Il est là, à mes côtés, il m'encourage. Même à 2 heures du matin, même dans la lueur blafarde des néons d'hôpital, il est tellement beau qu'il me vient des envies de le gifler, pour qu'il souffre, lui aussi. Après tout, il est aussi responsable que moi de ce que je suis en train de subir. Je n'en fais rien, évidemment. Je l'insulte quand même un peu, je crois.

Je prends un grand souffle et pousse un grand cri. Désiré applique à la lettre les consignes qui lui ont été données. Petit jet de brumisateur dans ma bouche, respiration de petit chien, encouragements, on pousse.

Je meurs.

Non, je vis.

Je pense à ma mère. À ce qu'elle a enduré, seule, en ce jour de l'An 1976. Je chasse les images car elles me hantent depuis que je sais, et ce n'est pas le moment.

J'en convoque une autre. Plus belle. Plus lumineuse.

Lorsque mon père est mort, j'ai dû ranger, jeter, trier tout ce qu'il avait entassé au cours de sa vie, y compris des objets qu'il avait volontairement soustraits à mon regard, toutes ces années. En transportant une vieille valise qui appartenait à ma mère, et dans laquelle elle avait entreposé les photos de sa propre enfance, mes mains ont glissé. La valise était trop lourde. Elle m'a échappé, a frappé le sol. La doublure intérieure s'est légèrement soulevée. J'y ai glissé ma main, par simple réflexe. C'est ce que je fais lorsque je vide un sac. Je vérifie que je n'ai rien oublié, en passant ma main un peu partout.

Je me suis arrêtée net. Sous le coup de la surprise. Ma main avait rencontré quelque chose. Un fin papier. Une lettre, écrite par ma mère.

Je me suis assise. J'ai commencé à lire.

Instantanément, j'ai acquis la certitude que j'étais la première personne à poser les yeux sur cette lettre. Mon père ne connaissait pas son existence.

S'il avait lu cette lettre, il en aurait parlé dans le classeur qu'il m'a laissé le jour de sa mort.

S'il avait lu cette lettre, il n'aurait sans doute pas pris les mêmes décisions. S'il avait lu cette lettre, nos vies auraient sans doute été bien différentes. Quel gâchis.

Je pousse plus fort, plus fort encore. Désiré halète, j'ai l'impression que mes mâchoires vont se désintégrer si je continue à les contracter de cette façon. La sage-femme me rassure, c'est très bien madame, vous êtes une championne. Quel âge a-t-elle ? Vingt-deux ans ? Qu'est-ce qu'elle y connaît, à la douleur de l'accouchement ? *On en reparlera quand toi aussi tu décideras d'enfanter naturellement, sans péridurale, à l'ancienne, tout ça parce que tu t'es dit que tu ne devais plus céder à la peur. Plus jamais ça, Romane.* Cette fois-ci, j'aurais mieux fait d'écouter mes craintes.

Dans sa lettre, maman s'adressait à nous, ses enfants à venir.

D'après la date manuscrite, cette invraisemblable missive a été rédigée alors que ma mère était enceinte de quatre mois. Cette lettre répondait à la question que je m'étais posée, le dernier jour de la vie de mon père. Est-ce qu'elle savait, qu'elle était enceinte de jumelles?

Elle ne le savait pas, ses mots sont très clairs. Elle ne pouvait pas le savoir.

Mais elle l'espérait.

Dans sa lettre, elle s'adressait « à elles ». Ses filles. Ma mère était persuadée qu'elle aurait deux filles. Peut-être pas d'un seul coup, elle ne le mentionnait pas. Mais elle en rêvait, de ces deux filles.

Dans sa lettre, maman décrivait son monde idéal, sa famille idéale. Avec une grande poésie, beaucoup de délicatesse, et une écriture ample, assurée. Sans fioriture mais avec des mots choisis, une sorte d'élan littéraire qui collait bien à l'image que j'ai toujours eue d'elle.

Dans la famille idéale de ma mère, il y aurait deux filles. Qu'elle aimerait à la folie. Que Joseph aimerait à la folie. Qui s'aimeraient à la folie. Qu'elle initierait aux plaisirs de la lecture, du théâtre, elle qui adorait ça. Qui feraient peut-être un peu de médecine, sait-on jamais, si Joseph insistait. Qu'elle appellerait Romane et Juliette. Des prénoms shakespeariens, sans la tragédie autour. C'étaient ses propres mots. Bouleversants. La vie aurait pu être tellement belle avec elle.

Je pousse une fois encore, plus longuement, plus difficilement aussi.

Soudain, tout le monde hurle. On aperçoit la tête. Elle est là, Romane.

J'entends son cri, et je fonds en larmes. Je perds toute notion du temps.

Quelques instants plus tard, qui me semblent une éternité, je tiens ma fille dans mes bras. Délicatement posée sur mon cœur.

Je l'observe, et sais d'instinct que mon monde ne sera plus jamais le même. Je lance un regard à Désiré. Il est en larmes, lui aussi. Il me dit qu'elle est magnifique, qu'il en est certain, même s'il ne la voit pas.

Soudain, la douleur revient.

Aussi intense. Aussi forte. Ou plus encore, je ne sais pas. Les cris de ma fille m'encouragent.

Je ne me suis jamais sentie aussi invincible. Aussi heureuse d'être en vie.

J'émets un cri guttural, instinctif. Une plainte des profondeurs.

Dans ce cri remonte toute ma vie, toutes les morts.

Je ferme les paupières. Je laisse couler les larmes. Lentement.

Je continue de serrer la main de Désiré, et soudain je l'entends. Tout mon corps se relâche. Je cesse de pleurer.

J'ouvre les yeux.

C'est alors que je la vois.

Remuant dans les bras de Désiré. Aussi belle que je l'avais imaginée.

Attendue. Lumineuse. Renversante. Réparatrice.

Ma deuxième fille.

REMERCIEMENTS

L'année qui vient de s'écouler a été incroyable. Un tourbillon de bonheurs, de surprises, de découvertes, de rencontres. Il y a tant de personnes à remercier…

En tout premier lieu, merci à mon éditrice de compétition, Caroline Lépée. Merci pour ton soutien, pour nos discussions, pour tes idées, tes commentaires, tes questions, qui me remuent parfois, m'encouragent souvent, me permettent d'avancer, de rendre mes textes meilleurs. J'ai une chance folle de travailler avec toi. On n'a pas fini de boire des coupes ensemble :).

Merci à Philippe Robinet, pour la porte toujours ouverte, l'oreille attentive, les bans bourguignons, et cette confiance renouvelée, qui me touche bien plus que je ne le laisse paraître.

Merci à toute l'équipe de Calmann-Lévy d'avoir si bien défendu *La Chambre des merveilles*. Sans votre formidable travail, mon premier roman n'aurait pas pu avoir un destin aussi « surréaliste »… J'en suis pleinement conscient. Merci en particulier à Patricia

Roussel et Julia Balcells, qui ont propulsé notre cher kawaii cat bien au-delà de ce que nous avions imaginé. À Christelle Pestana, Adeline Vanot, Antoine Lebourg, Sarah Altenloh et Fanny Plan qui ont embarqué dans l'aventure de nombreux journalistes, blogueurs et organisateurs d'événements littéraires. Merci à Camille Lucet, quinoa queen et grande prêtresse des plans de lancement, à Virginie Ebat et aux équipes commerciales Hachette pour leur travail si précieux auprès des libraires. Merci à Catherine Bourgey, Anne Sitruk, Mélanie Trapateau, Chloé Herla, Margaux Poujade et tous les autres, qui font de cette maison un endroit où l'on se sent (presque) chez soi.

Merci aux libraires qui m'ont soutenu dès le départ : je ne peux pas citer tout le monde, mais j'aimerais remercier en particulier Gérard Collard, Lydie Zannini, Caroline Vallat, Philippe Fournier, Amandine Ardouin, Stanislas Rigot, Antoine Bonnet, Sandrine Dantard, et puis Nadège, Alice, Yohann, Céline… merci à vous tous.

Merci aux journalistes qui ont aimé mon premier roman et l'ont fait savoir, avec en tête Bernard Lehut, dont le « blurb » a d'ores et déjà été traduit en italien, en japonais et en islandais !

Merci aux nombreux blogueurs, chroniqueurs et instagrameurs qui ont soutenu *La Chambre des merveilles*, avec une pensée spéciale pour Emilie « Bulle-dop », Ophélie, Jenna, Bénédicte, Margaux, Karine et Yvan.

Merci à toutes les personnes croisées en salons, auteurs ou organisateurs, pour les rires, les discussions passionnantes et la manière dont vous m'avez accueilli dans cette communauté.

Merci au professeur Françoise Le Pimpec Barthes, aux docteurs Roger Bessis et Nicolas Peron, d'avoir pris le temps de répondre à mes questions médicales les plus extravagantes, et à Denis Chofflet pour son éclairage sur les questions d'état civil.

Merci à ma famille. Mathilde, Alessandro et Éléonore, vous êtes ma base, mon ancrage, mes fondamentaux. Sans vous, rien n'aurait la même saveur. Vous me portez, encore et toujours. Merci à mes parents, Muriel et Serge, de m'avoir donné suffisamment d'amour et de confiance pour me laisser penser que rien n'est véritablement impossible – papa, tu peux continuer ton travail d'attaché de presse local, bien sûr :). À Alexandre et Andréa : j'ai beaucoup pensé à vous en écrivant cette histoire d'amour entre ces deux sœurs, qui auraient pu être trois frères. Floriane, Fanny, Jules, Noé, André, Raphaèle, Pierre, merci pour vos lectures, vos commentaires endiablés sur les titres et couvertures, vos ondes positives, et tous les beaux moments partagés – ce mois de mars 2018 a été particulièrement riche en événements joyeux. Merci à mon grand-père Pascal, et à ma famille d'Hyères et d'ailleurs (clin d'œil à la N. team), d'être présents à mes côtés.

Enfin, *last but not least*, merci à vous, lectrices et lecteurs, qui m'écrivez, venez à ma rencontre, ou simplement partagez autour de vous votre enthousiasme pour ce que j'écris. Vous ne pouvez pas savoir à quel point tous vos témoignages m'émeuvent et m'encouragent à continuer. Merci infiniment.

Julien

Le Livre de Poche s'engage pour
l'environnement en réduisant
l'empreinte carbone de ses livres.
Celle de cet exemplaire est de :
250 g éq. CO$_2$
Rendez-vous sur
www.livredepoche-durable.fr

PAPIER À BASE DE
FIBRES CERTIFIÉES

Composition réalisée par Maury-Imprimeur

Achevé d'imprimer en France par
CPI BRODARD & TAUPIN (72200 La Flèche)
en mai 2020
N° d'impression : 3039375
Dépôt légal 1re publication : mars 2020
Édition 05 - juin 2020
LIBRAIRIE GÉNÉRALE FRANÇAISE
21, rue du Montparnasse – 75298 Paris Cedex 06